Suhrkamp BasisBiblioth

Diese Ausgabe der »Suhrkamp BasisBibliothek – Arbeitstexte für Schule und Studium« bietet eine Auswahl von *Grimms Märchen* zusammen mit einem prägnanten Kommentar, der die historischen und inneren Bezüge dieser Volkserzählungen erschließt.

Die hier zusammengestellten 16 Märchen gehören zu den berühmtesten der Grimm'schen Sammlung und repräsentieren deren breites und vielfältiges Spektrum – sowohl was Gattungseigentümlichkeiten stilistischer und motivlicher Art als auch was prägende Weltanschauungen betrifft.

Der Kommentar weist nicht nur auf Herkunft und mögliche Bedeutungen der einzelnen Märchen hin, sondern zeigt auch Motiv- und Formulierungsparallelen auf, dokumentiert die verschiedenen Bearbeitungsstufen und liefert zahlreiche Wort- und Sacherläuterungen sowie einen komprimierten Überblick über die Rezeptionsgeschichte. Der Kommentar ist den neuen Rechtschreibregeln entsprechend verfasst.

Heinz Rölleke ist emeritierter Professor für Deutsche Philologie und Volkskunde an der Universität Wuppertal und einer der maßgeblichen Märchenforscher. 1985 erhielt er den Preis der Akademie für Kinder- und Jugendliteratur Volkach und den Staatspreis des Landes Hessen; 1999 wurde ihm der Brüder Grimm-Preis der Philipps-Universität Marburg verliehen, 2006 der Reichelsheimer Märchenpreis, 2013 der Europäische Märchenpreis der Kahn-Stiftung sowie der Thüringer Märchen- und Sagenpreis.

Grimms Märchen

Ausgewählt und
mit einem Kommentar versehen
von Heinz Rölleke

Suhrkamp

Der vorliegende Text folgt der Ausgabe:
Kinder- und Hausmärchen gesammelt durch die Brüder Grimm.
Vollständige Ausgabe auf der Grundlage der dritten Auflage
(1837). Herausgegeben von Heinz Rölleke.
Frankfurt am Main: Deutscher Klassiker Verlag 1985.

7. Auflage 2017

Erste Auflage 1998
Originalausgabe
Suhrkamp BasisBibliothek 6

Satz: pagina GmbH, Tübingen
Druck: CPI – Ebner & Spiegel, Ulm
Umschlaggestaltung: Hermann Michels
Printed in Germany

ISBN 978-3-518-18806-4

Inhalt
Grimms Märchen

Kommentar

1.
Der Froschkönig
oder der eiserne Heinrich

In den alten Zeiten, wo das Wünschen noch geholfen hat,
lebte ein König, dessen Töchter waren alle schön, aber die
jüngste war so schön, daß sich die Sonne selber, die doch so
oft vieles gesehen hat, darüber verwunderte so oft sie ihr
ins Gesicht schien. Nahe bei dem Schlosse des Königs lag
ein großer dunkler Wald, und in dem Walde unter einer
alten Linde war ein Brunnen: wenn nun der Tag recht heiß
war, so ging das Königskind hinaus in den Wald, und setzte
sich an den Rand des kühlen Brunnens, und wenn sie Langeweile hatte, so nahm sie eine goldene Kugel, warf sie in
die Höhe und fing sie wieder; und das war ihr liebstes Spielwerk*.

hier: Tätigkeit
des Spielens

Nun trug es sich einmal zu, daß die goldene Kugel der Königstochter nicht in das Händchen fiel, das sie ausgestreckt
hatte, sondern neben vorbei auf die Erde schlug, und geradezu ins Wasser hinein rollte. Die Königstochter folgte
ihr mit den Augen nach, aber die Kugel verschwand, und
der Brunnen war tief, und gar kein Grund zu sehen. Da fing
sie an zu weinen, und weinte immer lauter, und konnte sich
gar nicht trösten. Und wie sie so klagte, rief ihr jemand zu
»was hast du vor, Königstochter, du schreist ja daß sich ein
Stein erbarmen möchte«. Sie sah sich um, woher die Stimme käme, da erblickte sie einen Frosch, der seinen dicken
häßlichen Kopf aus dem Wasser streckte. »Ach, du bists,
alter Wasserpatscher«, sagte sie, »ich weine über meine
goldne Kugel, die mir in den Brunnen hinab gefallen ist.«
»Gib dich zufrieden«, antwortete der Frosch, »ich kann
wohl Rat schaffen, aber was gibst du mir, wenn ich dein
Spielwerk* wieder heraufhole?« »Was du willst, lieber
Frosch«, sagte sie, »meine Kleider, meine Perlen und Edel-

hier: Spielgerät

steine, dazu die goldne Krone, die ich trage.« Der Frosch
antwortete »deine Kleider, deine Perlen und Edelsteine,
deine goldne Krone, die mag ich nicht: aber wenn du mich
lieb haben willst, und ich soll dein Geselle* und Spielka-
merad sein, an deinem Tischlein neben dir sitzen, von dei- 5
nem goldnen Tellerlein essen, aus deinem Becherlein trinken, in deinem Bettlein schlafen: wenn du mir das ver-
sprichst, so will ich dir die goldne Kugel wieder aus dem
Grunde hervor holen«. »Ach ja«, sagte sie, »ich verspreche
dir alles, wenn du mir nur die Kugel wieder bringst.« Sie 10
dachte aber »was der einfältige* Frosch schwätzt, der sitzt
im Wasser bei seines Gleichen, und quakt, und kann keines
Menschen Geselle sein«.

Der Frosch, als er die Zusage erhalten hatte, tauchte seinen
Kopf unter, sank hinab, und über ein Weilchen kam er 15
wieder herauf gerudert, hatte die Kugel im Maul, und warf
sie ins Gras. Die Königstochter war voll Freude, als sie ihr
schönes Spielwerk wieder erblickte, hob es auf, und sprang
damit fort. »Warte, warte«, rief der Frosch, »nimm mich
mit, ich kann nicht so laufen wie du.« Aber was half ihm 20
daß er ihr sein quak quak so laut nachschrie als er konnte!
sie hörte nicht darauf, eilte nach Haus, und hatte bald den
armen Frosch vergessen, der wieder in den tiefen Brunnen
hinab steigen mußte.

Am andern Tage, als sie mit dem König und allen Hofleu- 25
ten an der Tafel saß, und von ihrem goldnen Tellerlein aß,
da kam, plitsch platsch, plitsch platsch, etwas die Marmortreppe herauf gekrochen, und als es oben angelangt war,
klopfte es an der Tür, und rief »Königstochter, jüngste,
mach mir auf«. Sie lief und wollte sehen wer draußen wäre, 30
als sie aber aufmachte, so saß der Frosch davor. Da warf sie
die Tür hastig zu, setzte sich wieder an den Tisch, und war
ihr ganz angst. Der König sah daß ihr das Herz gewaltig
klopfte, und sprach »ei, was fürchtest du dich, steht etwa
ein Riese vor der Tür, und will dich holen?« »Ach nein«, 35

in der ur-
sprünglichen
Bedeutung:
der in demsel-
ben Raum
schläft (vgl.
ahd. gi-sell-io:
Saalgenosse)

dumm

antwortete das Kind, »es ist kein Riese, sondern ein garstiger Frosch, der hat mir gestern im Wald meine goldene
Kugel aus dem Wasser geholt, dafür versprach ich ihm er
sollte mein Geselle werden, ich dachte aber nimmermehr
daß er aus seinem Wasser heraus könnte: nun ist er draußen, und will zu mir herein.« Indem klopfte es zum zwei-
tenmal und rief

> »Königstochter, jüngste,
> mach mir auf,
> weißt du nicht was gestern
> du zu mir gesagt
> bei dem kühlen Brunnenwasser?
> Königstochter, jüngste,
> mach mir auf.«

Da sagte der König »hast du's versprochen, mußt du's auch
halten; geh und mach ihm auf«. Sie ging und öffnete die
Türe, da hüpfte der Frosch herein, ihr immer auf dem Fuße
nach, bis zu ihrem Stuhl. Da saß er und rief »heb mich
herauf zu dir«. Sie wollte nicht bis es der König befahl. Als
der Frosch auf den Stuhl gekommen war, sprach er »nun
schieb mir dein goldenes Tellerlein näher, damit wir zusammen essen«. Das tat sie auch, aber man sah wohl daß
sies nicht gerne tat. Der Frosch ließ sichs gut schmecken,
aber ihr blieb fast jedes Bißlein im Halse. Endlich sprach er
»nun hab ich mich satt gegessen, und bin müde, trag mich
hinauf in dein Kämmerlein, und mach dein seiden Bettlein
zurecht, da wollen wir uns schlafen legen«. Da fing die
Königstochter an zu weinen, und fürchtete sich vor dem
kalten Frosch, den sie nicht anzurühren getraute, und der
nun in ihrem schönen reinen Bettlein schlafen wollte. Der
König aber blickte sie zornig an, und sprach »was du versprochen hast, sollst du auch halten, und der Frosch ist
dein Geselle«. Es half nichts, sie mochte wollen oder nicht,
sie mußte den Frosch mitnehmen. Da packte sie ihn, ganz
bitterböse, mit zwei Fingern, und trug ihn hinauf, und als

sie im Bett lag, statt ihn hinein zu heben, warf sie ihn aus allen Kräften an die Wand und sprach »nun wirst du Ruhe haben, du garstiger Frosch«.

Was aber herunter fiel war nicht ein toter Frosch, sondern ein lebendiger junger Königssohn mit schönen und freund- lichen Augen. Der war nun von Recht und mit ihres Vaters Willen ihr lieber Geselle und Gemahl. Da schliefen sie ver- gnügt zusammen ein, und am andern Morgen, als die Son- ne sie aufweckte, kam ein Wagen herangefahren mit acht weißen Pferden bespannt, die waren mit Federn ge- schmückt, und gingen in goldenen Ketten, und hinten stand der Diener des jungen Königs, das war der treue Heinrich. Der treue Heinrich hatte sich so betrübt, als sein Herr war in einen Frosch verwandelt worden, daß er drei eiserne Bande hatte müssen um sein Herz legen lassen, da- mit es ihm nicht vor Weh und Traurigkeit zerspränge. Der Wagen aber sollte den jungen König in sein Reich abholen; der treue Heinrich hob beide hinein, und stellte sich wieder hinten auf, voller Freude über die Erlösung. Und als sie ein Stück Wegs gefahren waren, hörte der Königssohn hinter sich daß es krachte, als wäre etwas zerbrochen. Da drehte er sich um, und rief

»Heinrich, der Wagen bricht.«
»Nein, Herr, der Wagen nicht,
es ist ein Band von meinem Herzen,
das da lag in großen Schmerzen,
als ihr in dem Brunnen saßt,
als ihr eine Fretsche (Frosch) was't (wart).«

Noch einmal und noch einmal krachte es auf dem Weg, und der Königssohn meinte immer der Wagen bräche, und es waren doch nur die Bande, die vom Herzen des treuen Heinrich absprangen, weil sein Herr wieder erlöst und glücklich war.

2.

Märchen von einem, der auszog, das Fürchten zu lernen

Ein Vater hatte zwei Söhne, davon war der älteste klug und
5 gescheit, und wußte sich in alles wohl zu schicken, der
jüngste aber war dumm, konnte nichts begreifen und lernen: und wenn ihn die Leute sahen, sprachen sie »mit dem
wird der Vater noch seine Last haben!« Wenn nun etwas zu
tun war, so mußte es der älteste allzeit ausrichten: hieß ihn
10 aber der Vater noch spät oder gar in der Nacht etwas holen,
und der Weg ging dabei über den Kirchhof oder sonst einen
schaurigen Ort, so antwortete er wohl »ach, Vater, es gruselt* mir!« denn er fürchtete sich. Oder, wenn abends beim
Feuer Geschichten erzählt wurden, wobei einem die Haut
15 schaudert, so sprachen die Zuhörer manchmal »ach, es
gruselt mir!« Der jüngste saß in einer Ecke, und hörte das
mit an, und konnte nicht begreifen was es heißen sollte.
»Immer sagen sie es gruselt mir! es gruselt mir! mir gruselts
nicht: das wird wohl eine Kunst* sein, von der ich auch
20 nichts verstehe.«

Nun geschah es, daß der Vater einmal zu ihm sprach »hör
du, in der Ecke dort, du wirst groß und stark, und mußt
auch etwas lernen, womit du dein Brot verdienst. Siehst du,
wie sich dein Bruder Mühe gibt, aber an dir ist Hopfen und
25 Malz verloren*«. »Ei, Vater«, antwortete er, »ich will gerne was lernen; ja, wenns anginge, so möchte ich lernen daß
mirs gruselte; davon verstehe ich noch gar nichts.« Der
älteste lachte als er das hörte, und dachte bei sich »du lieber
Gott, was ist mein Bruder ein Dummbart*, aus dem wird
30 mein Lebtag nichts: was ein Häkchen werden will, muß
sich bei Zeiten krümmen«. Der Vater seufzte, und antwortete ihm »das Gruseln, das sollst du schon noch lernen,
aber dein Brot wirst du damit nicht verdienen«.

niederdt. Itera-
tivform zu
»grusen«
(grausen): klei-
ne Schauer
empfinden,
eine Gänse-
haut bekom-
men

im älteren
Sinn: »Kön-
nen«, »Fertig-
keit«

sprichwörtl.
vom Bierbrau-
en abgeleitet:
alle Mühe ist
vergebens,
umsonst ange-
wandt

Dummkopf

Kirchendiener

ausgestattet, befähigt

Bald darnach kam der Küster* zum Besuch ins Haus, da klagte ihm der Vater seine Not, und erzählte wie sein jüngster Sohn in allen Dingen so schlecht beschlagen* wäre, er wisse nichts und lerne nichts. »Denkt euch, als ich ihn gefragt, womit er sein Brot verdienen wollte, hat er gar verlangt das Gruseln zu lernen!« »Wenns weiter nichts ist«, antwortete der Küster, »das kann er bei mir lernen; tut ihn nur zu mir, ich will ihn schon abhobeln.« Der Vater war es zufrieden, weil er dachte »der Junge wird doch ein wenig zugestutzt«; und der Küster nahm ihn ins Haus, und er mußte die Glocke läuten. Nach ein paar Tagen weckte er ihn um Mitternacht, hieß ihn aufstehen, in den Kirchtum steigen und läuten. »Da wirst du schon lernen was Gruseln ist« dachte er, doch um ihm noch einen rechten Schrecken einzujagen, ging er heimlich voraus, und stellte sich ins

Öffnung im Kirchturm, durch die der Schall der Glocken austritt

Schalloch*, da sollte der Junge meinen es wär ein Gespenst. Der Junge stieg ruhig den Turm hinauf, als er oben hinkam, sah er eine Gestalt im Schalloch. »Wer steht dort?« rief er, aber es regte und bewegte sich nicht. Da sprach er »was willst du hier in der Nacht? mach daß du fortkommst, oder ich werfe dich hinunter«. Der Küster dachte »es wird so arg nicht gemeint sein«, schwieg und blieb unbeweglich stehn; da rief ihn der Junge zum drittenmal an, und als er immer noch keine Antwort erhielt, nahm er einen Anlauf, und stieß das Gespenst hinab, daß es Hals und Bein brach. Darauf läutete er die Glocke, und wie das geschehen war, stieg er wieder hinab, legte sich ohne ein Wort zu sprechen ins Bett, und schlief fort. Die Küsterfrau wartete auf ihren Mann lange Zeit, aber der kam immer nicht wieder. Da ward ihr endlich Angst, daß sie den Jungen weckte und fragte »weißt du nicht, wo mein Mann geblieben ist? er ist mit auf den Turm gestiegen«. »Nein«, antwortete der Bube, »aber da hat einer im Schalloch gestanden, und weil er nicht weggehn und keine Antwort geben wollte, so habe ich ihn herunter geschmissen; geht einmal hin, so werdet ihr sehen ob ers ist.« Die Frau eilte voll Angst auf den Kirchhof, und fand ihren Mann tot auf der Erde liegen.

Da lief sie schreiend zu dem Vater des Jungen, und weckte ihn, und sprach »ach, was hat euer Taugenichts für ein
5 Unglück angerichtet! meinen Mann hat er zum Schalloch hinunter gestürzt, daß er tot auf dem Kirchhof liegt«. Der Vater erschrak, kam herbei gelaufen, und schalt den Jungen, »was sind das für gottlose Streiche! die muß dir der Böse eingegeben haben«. »Vater«, antwortete er, »ich bin
10 ganz unschuldig: er stand da in der Nacht, wie einer der Böses vor hat, ich wußte nicht wers war, ich habs ihm ja dreimal vorausgesagt, warum ist er nicht weggegangen!« »Ach«, sprach der Vater, »mit dir erleb ich nur Unglück, geh mir vor den Augen weg, ich will dich nicht mehr an-
15 sehn.« »Ja, Vater, recht gerne, wartet nur bis Tag ist, da will ich ausgehen, und das Gruseln lernen, so versteh ich doch auch eine Kunst, die mich ernähren kann.« »Lerne was du willst«, sprach der Vater, »mir ist alles einerlei. Da hast du funfzig Taler*, damit geh mir aus den Augen, und
20 sage keinem Menschen wo du her bist und wer dein Vater ist, denn ich muß mich deiner schämen.« »Ja, Vater, wie ihrs haben wollt, wenn ihr nicht mehr verlangt, das kann ich leicht in Acht behalten.«

Als nun der Tag anbrach, steckte der Junge seine funfzig
25 Taler in die Tasche, ging hinaus auf die große Landstraße, und sprach immer vor sich hin »wenn mirs nur gruselte! wenn mirs nur gruselte!« Da ging ein Mann neben ihm, der hörte das Gespräch mit an, und als sie ein Stück weiter waren, daß man den Galgen sehen konnte, sagte er zu dem
30 Jungen »siehst du, dort ist der Baum, wo siebene mit des Seilers Tochter* Hochzeit gehalten haben, setz dich darunter und warte bis die Nacht kommt, so wirst du schon das Gruseln lernen«. »Wenn weiter nichts dazu gehört«, antwortete der Junge, »das will ich gerne tun; lern ich aber so
35 geschwind das Gruseln, so sollst du meine funfzig Taler

ehem. hochwertiges Geldstück

der (vom Seiler hergestellte Galgen-)Strick

haben: komm nur Morgen früh wieder zu mir.« Da ging der Junge zu dem Galgen, und setzte sich darunter, und wartete bis der Abend kam. Und weil ihn fror, machte er sich ein Feuer an, aber um Mitternacht ging der Wind so kalt, daß er trotz des Feuers nicht warm werden wollte. Und als der Wind die Gehenkten gegen einander stieß, daß sie sich hin und her bewegten, da dachte er »du frierst unten bei dem Feuer, was mögen die da oben erst frieren und zappeln«. Und weil er mitleidig war, legte er die Leiter an, stieg hinauf, knüpfte einen nach dem andern los, und holte sie alle siebene herab. Darauf schürte er das Feuer, und blies es an, und setzte sie rings herum, daß sie sich wärmen sollten. Aber sie saßen da, und regten sich nicht, und das Feuer ergriff ihre Kleider. Da sprach er »nehmt euch in acht, sonst häng ich euch wieder hinauf«. Die Toten aber hörten nicht, schwiegen, und ließen ihre Lumpen fort brennen. Da ward er bös, und sprach »wenn ihr nicht acht geben wollt, so kann ich euch nicht helfen, ich will nicht mit euch verbrennen«, und hing sie nach der Reihe wieder hinauf. Nun setzte er sich zu seinem Feuer, und schlief ein, und am andern Morgen, da kam der Mann zu ihm, wollte die funfzig Taler haben, und sprach »nun, weißt du was gruseln ist?« »Nein«, antwortete er, »woher sollte ichs wissen? die da droben haben das Maul nicht aufgetan, und waren so dumm, daß sie die paar alten Lappen, die sie am Leibe haben, brennen ließen.« Da sah der Mann daß er die funfzig Taler heute nicht davon tragen würde, ging fort, und sprach »so einer ist mir noch nicht vorgekommen«.

Der Junge ging auch seines Weges, und fing wieder an vor sich hin zu reden »ach, wenn mirs nur gruselte! ach, wenn mirs nur gruselte!« Das hörte ein Fuhrmann, der hinter ihm her schritt, und fragte »wer bist du?« »Ich weiß nicht« antwortete der Junge. Der Fuhrmann fragte weiter »wo bist du her?« »Ich weiß nicht«. »Wer ist dein Vater?« »Das darf ich nicht sagen.« »Was brummst du beständig in den

Bart hinein?« »Ei«, antwortete der Junge, »ich wollte, daß
mirs gruselte; aber niemand kann mirs lehren.« »Laß dein
dummes Geschwätz«, sprach der Fuhrmann, »komm, geh
mit mir, ich will sehn daß ich dich unterbringe.« Nun ging
der Junge mit dem Fuhrmann. Abends gelangten sie zu einem Wirtshaus, wo sie übernachten wollten, da sprach er
beim Eintritt in die Stube wieder ganz laut »wenn mirs nur
gruselte! wenn mirs nur gruselte!« Der Wirt, der das hörte,
lachte und sprach »wenn dich danach lüstet, dazu sollte
hier wohl Gelegenheit sein«. »Ach schweig stille«, sprach
die Wirtsfrau, »so mancher Vorwitzige* hat schon sein Le-   Übermütige
ben eingebüßt, es wäre Jammer und Schade um die schö-
nen Augen, wenn die das Tageslicht nicht wieder sehen
sollten.« Der Junge aber sagte »wenns noch so schwer wäre, ich wills einmal lernen, deshalb bin ich ja ausgezogen«.
Er ließ dem Wirt auch keine Ruhe, bis dieser erzählte nicht
weit davon stände ein verwünschtes Schloß, worin einer
wohl lernen könnte was gruseln wäre, wenn er drei Nächte
darin wachen wollte. Der König hätte dem, ders wagen
wollte, seine Tochter zur Frau versprochen, und die wäre
die schönste Jungfrau, welche die Sonne beschien: in dem
Schlosse steckten auch große Schätze, von Geistern be-
wacht, die würden dann frei, und könnten einen Armen
reich genug machen. Schon viele wären wohl hinein aber
noch keiner wieder heraus gekommen. Da ging der Junge
am andern Morgen vor den König, und sprach »wenns
erlaubt wäre, so wollte ich wohl drei Nächte in dem ver-
wünschten Schloß wachen«. Der König sah ihn an, und
weil er ihm gefiel, sprach er »du darfst dir noch dreierlei
ausbitten, aber von leblosen Dingen, das du mit ins Schloß
nimmst«. Da anwortete er »so bitt ich um ein Feuer, eine
Drehbank und eine Schnitzbank mit dem Messer«.
Der König ließ ihm das alles bei Tag in das Schloß tragen.
Als es Nacht werden wollte, ging der Junge hinauf, machte
sich in einer Kammer ein helles Feuer an, stellte die Schnitz-

bank mit dem Messer daneben, und setzte sich auf die Drehbank. »Ach, wenn mirs nur gruselte!« sprach er, »aber hier werd ichs auch nicht lernen.« Gegen Mitternacht wollt er sich sein Feuer einmal aufschüren, wie er so hinein blies, da schries plötzlich aus einer Ecke »au, miau! was uns friert!« »Ihr Narren«, rief er, »was schreit ihr? wenn euch friert, kommt, setzt euch ans Feuer, und wärmt euch.« Und wie er das gesagt hatte, kamen zwei große schwarze Katzen in einem gewaltigen Sprunge herbei, und setzten sich ihm zu beiden Seiten, und sahen ihn mit ihren feurigen Augen ganz wild an. Über ein Weilchen, als sie sich gewärmt hatten, sprachen sie »Kamerad, wollen wir eins in der Karte spielen*?« »Ja«, antwortete er, »aber zeigt einmal eure Pfoten her.« Da streckten sie die Krallen aus. »Ei«, sagte er, »was habt ihr lange Nägel! wartet, die muß ich euch erst abschneiden.« Damit packte er sie beim Kragen hob sie auf die Schnitzbank, und schraubte ihnen die Pfoten fest. »Euch habe ich auf die Finger gesehen«, sprach er, »da vergeht mir die Lust zum Kartenspiel«; und schlug sie tot, und warf sie hinaus ins Wasser. Als er aber die zwei zur Ruhe gebracht hatte, und sich wieder zu seinem Feuer setzen wollte, da kamen aus allen Ecken und Enden schwarze Katzen und schwarze Hunde an glühenden Ketten, immer mehr und mehr, daß er sich nicht mehr bergen* konnte: die schrien greulich, traten ihm auf sein Feuer, zerrten es auseinander, und wollten es ausmachen. Das sah er ein Weilchen ruhig mit an, als es ihm aber zu arg ward, faßte er sein Schnitzmesser, »du Gesindel*, fort mit dir«, und hieb hinein. Ein großer Teil sprang fort, die andern schlug er tot, und warf sie hinaus in den Teich. Als er wieder gekommen war, blies er aus den Funken sich sein Feuer frisch an, und wärmte sich. Und als er so saß, wollten ihm die Augen nicht länger offen bleiben, und er bekam Lust zu schlafen. Da blickte er um sich, und sah in der Ecke ein großes Bett, ging und legte sich hinein. Als er aber die Augen eben zutun

wollte, so fing das Bett von selbst an zu fahren, und fuhr im ganzen Schloß herum. »Recht so«, sprach er, »nur besser zu.« Da fing das Bett an zu fahren, als wären sechs Pferde vorgespannt, fort über Schwellen und Treppen auf und ab:
5 hopp hopp! warf es um, das unterste zu oberst, und er lag mitten drunter. Aber er schleuderte Decken und Kissen in die Höhe, stieg heraus und sagte »nun mag* fahren wer   soll Lust hat«, legte sich an sein Feuer, und schlief bis es Tag war. Am Morgen kam der König, und als er ihn da auf der
10 Erde liegen sah, meinte er die Gespenster hätten ihn umgebracht, und er wäre tot. Da sprach er »es ist doch Schade um den schönen Menschen«. Das hörte der Junge, richtete sich auf und sprach »so weit ists noch nicht!« Da verwunderte sich der König, freute sich aber, und fragte wie es ihm
15 gegangen wäre. »Recht gut«, antwortete er, »eine Nacht wäre herum, die zwei andern werden auch herum gehen.« Als er nun zum Wirt kam, machte der große Augen, und sprach »ich dachte nicht, daß ich dich wieder lebendig sehen würde; hast du nun gelernt, was gruseln ist?« »Nein«,
20 sagte er, »ich weiß es nicht, wenn mirs nur einer sagen könnte!«
Die zweite Nacht ging er wieder hinauf ins alte Schloß, setzte sich zum Feuer, und fing sein altes Lied wieder an »wenn mirs nur gruselte!« Wie Mitternacht herankam,
25 ließ sich ein Lärm und Gepolter hören, erst sachte, dann immer stärker, dann wars ein bißchen still, endlich kam mit lautem Geschrei ein halber Mensch den Schornstein herab, und fiel vor ihn hin. »Heda!« rief er, »noch ein halber gehört dazu, das ist zu wenig.« Da ging der Lärm von
30 frischem an, es tobte und heulte, und fiel die andere Hälfte auch herab. »Wart«, sprach er, »ich will dir erst das Feuer ein wenig anblasen.« Wie er das getan hatte, und sich wieder umsah, da waren die beiden Stücke zusammen gefahren, und saß da ein greulicher Mann auf seinem Platz. »So
35 ists nicht gemeint«, sprach der Junge, »die Bank ist mein.«

Der Mann wollte ihn wegdrängen, aber der Junge ließ sichs nicht gefallen, schob ihn mit Gewalt weg, und setzte sich wieder auf seinen Platz. Da fielen noch mehr Männer herab, die hatten neun Totenbeine* und zwei Totenköpfe, setzten auf*, und spielten Kegel. Der Junge bekam auch Lust, und fragte »hört ihr, kann ich mit sein?« »Ja, wenn du Geld hast.« »Geld genug«, antwortete er, »aber eure Kugeln sind nicht recht rund.« Da nahm er sie, setzte sie in die Drehbank, und drehte sie rund. »So, jetzt werden sie besser schüppeln*«, sprach er, »heida! nun gehts lustig!« Er spielte mit, und verlor etwas von seinem Geld, als es aber zwölf Uhr schlug, war alles vor seinen Augen verschwunden, und er legte sich nieder, und schlief ruhig ein. Am andern Morgen kam der König und wollte sich erkundigen: »wie ist dirs diesmal gegangen?« fragte er. »Ich habe gekegelt«, antwortete er, »und ein paar Heller* verloren.« »Hat dir denn nicht gegruselt?« »Ei was«, sprach er, »lustig hab ich mich gemacht. Wenn ich nur wüßte was Gruseln wäre!«

In der dritten Nacht setzte er sich wieder auf seine Bank, und sprach ganz verdrießlich* »wenn es mir nur gruselte!« Als es spät ward, kamen sechs große Männer, und brachten eine Totenlade* hereingetragen. Da sprach er »ha ha, das ist gewiß mein Vetterchen*, das erst vor ein paar Tagen gestorben ist«, winkte mit dem Finger, und rief »komm, Vetterchen, komm!« Sie stellten den Sarg auf die Erde, er aber ging hinzu, und nahm den Deckel ab, da lag ein toter Mann darin: er fühlte ihm ans Gesicht, aber es war kalt wie Eis. »Wart«, sprach er, »ich will dich ein bißchen wärmen«, ging ans Feuer, wärmte seine Hand, und legte sie ihm aufs Gesicht, aber der Tote blieb kalt. Nun nahm er ihn heraus, setzte sich ans Feuer, und legte ihn auf seinen Schoß, und rieb ihm die Arme, damit das Blut wieder in Bewegung kommen sollte. Als auch das nichts helfen wollte, fiel ihm ein »wenn zwei zusammen im Bett liegen, so wärmen sie sich«, brachte ihn ins Bett, deckte ihn zu, und legte sich

---

Marginal notes:

Gebeine, Knochen

stellten (die Knochen als Kegelfiguren) auf

hessisch (auch »schippeln«; zu »schieben«): fortrollen lassen

Kupfermünzen

mürrisch

Sarg

hier wohl weniger als konkrete Verwandtschaftsbezeichnung, sondern als »Bekannter« aufzufassen (vgl. die trauliche Anredeform im Hessischen »Vetterchen«)

neben ihn. Über ein Weilchen ward auch der Tote warm, und fing an sich zu regen. Da sprach der Junge »siehst du, Vetterchen, hätt ich dich nicht gewärmt!« Der Tote aber hub an und rief »jetzt will ich dich erwürgen«. »Was«, sag-
5 te er, »ist das mein Dank? nun sollst du wieder in deinen Sarg«, hub ihn auf, warf ihn hinein, und machte den Dek-kel zu; da kamen die sechs Männer, und trugen ihn wieder fort. »Es will mir nicht gruseln«, sagte er, »hier lerne ichs mein Lebtag nicht.«

10 Da trat ein Mann herein, der war größer als alle andere, und sah fürchterlich aus, doch war er schon alt, und hatte einen langen weißen Bart. »O du Wicht*«, rief er, »nun sollst du bald lernen was gruseln ist, denn du sollst ster-ben.« »Nicht so schnell«, antwortete er, »soll ich sterben,
15 so muß ich auch dabei sein.« »Dich will ich schon packen« sprach der Unhold*. »Sachte, mach dich nicht gar zu breit: so stark wie du bin ich auch, und wohl noch stärker.« »Das will ich sehn«, sprach der Alte, »bist du stärker als ich, so will ich dich lassen; komm, wir wollens versuchen.« Da
20 führte er ihn durch dunkle Gänge zu einem Schmiedefeuer, und nahm eine Axt, und schlug den einen Amboß mit ei-nem Schlag in die Erde. »Das kann ich noch besser« sprach der Junge, und ging zu dem andern Amboß, und der Alte stellte sich neben hin, und wollte zusehen, und sein weißer
25 Bart hing herab. Da faßte der Junge die Axt, und zerspal-tete den Amboß auf einen Hieb, und klemmte den Bart mit hinein. »Nun hab ich dich«, sprach der Junge, »jetzt ist das Sterben an dir.« Dann faßte er eine Eisenstange, und schlug auf ihn los, bis der Alte wimmerte und bat er möchte auf-
30 hören, er wollte ihm große Reichtümer geben. Der Junge zog die Axt raus, und ließ den Alten los, der führte ihn wieder ins Schloß zurück, und zeigte ihm im Keller drei Kasten voll Gold. »Davon«, sprach er, »ist ein Teil den Armen, der andere dem König, der dritte dein.« Indem
35 schlug es zwölfe, und der Geist verschwand, also daß der

Winzling

in der ur-sprünglichen Bedeutung: schädigender Dämon

Junge im finstern stand. »Ich werde mir doch heraushelfen können«, sprach er, tappte herum, suchte den Weg in die Kammer, und schlief bei seinem Feuer ein. Am andern Morgen kam der König und sagte »nun wirst du gelernt haben was gruseln ist?« »Nein«, antwortete er, »was ists nur? mein toter Vetter war da, und ein bärtiger Mann ist gekommen, der hat mir da unten viel Geld gezeigt, aber was gruseln ist hat mir keiner gesagt.« Da sprach der König »du hast das Schloß erlöst, und sollst meine Tochter heiraten«. »Das ist all recht gut«, antwortete er, »aber ich weiß immer noch nicht was gruseln ist.«

Da ward das Gold gehoben, und die Hochzeit gefeiert, aber der junge König, so lieb er seine Gemahlin hatte, und so vergnügt er war, sagte doch immer »wenn mir nur gruselte, wenn mir nur gruselte«. Das verdroß sie endlich. Ihr Kammermädchen sprach »ich will Hülfe schaffen, das Gruseln soll er schon noch lernen«. Und ging hinaus, und ließ sich einen ganzen Eimer voll Gründlinge* holen. Und Nachts als der junge König schlief, mußte seine Gemahlin ihm die Decke wegziehen, und den Eimer voll kalt Wasser mit den Gründlingen über ihn herschütten, daß die kleinen Fische um ihn herum zappelten. Da wachte er auf und rief »ach was gruselt mir, was gruselt mir, liebe Frau! Ja, nun weiß ich was gruseln ist«.

* kleine, am Grund des Wassers lebende Fische

3.
Rapunzel

Es war einmal ein Mann und eine Frau, die wünschten sich schon lange vergeblich ein Kind, endlich machte sich die Frau Hoffnung der liebe Gott werde ihren Wunsch erfüllen. Die Leute hatten in ihrem Hinterhaus ein kleines Fen-

ster, daraus konnte man in einen prächtigen Garten sehen, der voller schönen Blumen und Kräuter stand, er war aber von einer hohen Mauer umgeben, und niemand wagte hinein zu gehen, weil er einer Zauberin gehörte, die große
5 Macht hatte, und von aller Welt gefürchtet wurde. Eines Tags stand die Frau an diesem Fenster, und sah in den Garten hinab, da erblickte sie ein Beet, das mit den schönsten Rapunzeln* bepflanzt war, und sie sahen so frisch und grün aus, daß sie lüstern wurde, und das größte Verlangen emp-
10 fand von den Rapunzeln zu essen. Das Verlangen nahm jeden Tag zu, und da sie wußte daß sie keine davon bekommen konnte, so fiel sie ganz ab*, sah blaß und elend aus. Da erschrak der Mann, und fragte »was fehlt dir liebe Frau?« »Ach«, antwortete sie, »wenn ich keine Rapunzeln aus
15 dem Garten hinter unserm Hause zu essen kriege, so sterbe ich.« Der Mann, der sie gar lieb hatte, dachte »eh du deine Frau sterben lässest, holst du ihr von den Rapunzeln, es mag kosten was es will«. In der Abenddämmerung stieg er also über die Mauer in den Garten der Zauberin, stach in
20 aller Eile eine Hand voll Rapunzeln, und brachte sie seiner Frau. Sie machte sich sogleich Salat daraus, und aß sie in voller Begierde auf. Sie hatten ihr aber so gut, so gut geschmeckt daß sie den andern Tag noch dreimal so viel Lust bekam. Sollte sie Ruhe haben, so mußte der Mann noch
25 einmal in den Garten steigen. Er machte sich also in der Abenddämmerung wieder hinab, als er aber die Mauer herabgeklettert war, wie erschrak er als er die Zauberin vor sich stehen sah. »Wie kannst du es wagen«, sagte sie zornig, »in meinen Garten wie ein Dieb zu kommen, und mir meine Rapunzeln zu stehlen?« »Ach«, antwortete er, »ungern
30 habe ich mich dazu entschlossen, und nur aus Not: meine Frau hat eure Rapunzeln aus dem Fenster erblickt, und hat ein so großes Gelüsten danach daß sie sterben würde wenn sie nicht davon zu essen bekäme.« Da ließ die Zauberin in
35 ihrem Zorne nach, und sprach zu dem Mann »verhält es

ursprünglich »Baldrianwurzeln«; eine Art Feldsalat

magerte ab (vom Fleisch abfallen)

sich so, wie du sagst, so will ich dir gestatten Rapunzeln mitzunehmen so viel du willst, allein ich mache eine Bedingung: du mußt mir das Kind geben, das deine Frau zur Welt bringen wird. Es soll ihm gut gehen, und ich will für es sorgen wie eine Mutter«. Der Mann sagte in der Angst alles zu, und als die Frau in Wochen kam, so erschien gleich die Zauberin, gab dem Kind den Namen Rapunzel, und nahm es mit sich fort.

Rapunzel wurde das schönste Kind unter der Sonne. Als es zwölf Jahr alt war schloß es die Zauberin in einen Turm, der in einem Walde lag, und weder Treppe noch Türe hatte, nur ganz oben war ein kleines Fensterchen. Wenn die Zauberin hinein wollte, so stellte sie sich unten hin, und rief

»Rapunzel, Rapunzel,
laß mir dein Haar herunter«.

Rapunzel hatte lange prächtige Haare, fein wie gesponnen Gold. Wenn sie nun die Stimme der Zauberin vernahm, so band sie ihre Zöpfe los, wickelte sie oben um einen Fensterhaken, und dann fielen die Haare zwanzig Ellen* tief herunter, und die Zauberin stieg daran hinauf.

Nach ein paar Jahren trug es sich zu, daß der Sohn des Königs durch den Wald ritt, und an dem Turm vorüber kam. Da hörte er einen so lieblichen Gesang, daß er still hielt, und horchte. Das war Rapunzel, die in ihrer Einsamkeit sich die Zeit damit vertrieb, ihre süße Stimme erschallen zu lassen. Der Königssohn suchte vergeblich nach einer Türe des Turms, der Gesang hatte ihm aber so sehr das Herz gerührt, daß er jeden Tag hinaus in den Wald ging und darauf horchte. Als er einmal so hinter einem Baume stand, sah er die Zauberin herankommen, und hörte wie sie hinauf rief

»Rapunzel, Rapunzel,
laß dein Haar herunter«.

Da ließ Rapunzel die Haarflechten herab, und die Zauberin stieg zu ihr hinauf. »Ist das die Leiter auf welcher man

etwa zehn
Meter

hinauf kommt«, sprach der Königssohn, »so will ich auch einmal mein Glück versuchen.« Und den folgenden Tag, als es anfing dunkel zu werden, ging er zu dem Turme, und rief

> »Rapunzel, Rapunzel,
5   laß dein Haar herunter«.

Alsbald fielen die Haare herab, und der Königssohn stieg hinauf.

Anfangs erschrak Rapunzel gewaltig als ein Mann zu ihr herein kam, wie ihre Augen noch nie einen erblickt hatten,
10 doch der Königssohn fing an ganz freundlich mit ihr zu reden, und erzählte ihr daß von ihrem Gesang sein Herz so sehr sei bewegt worden, daß es ihm keine Ruhe gelassen, und er sie selbst habe sehen müssen. Da verlor Rapunzel ihre Angst, und als er sie fragte ob sie ihn zum Manne
15 nehmen wolle, und sie sah daß er jung und schön war, so dachte sie »der wird mich lieber haben als die alte Frau Gothel*«, und sagte ja, und reichte ihm ihre Hand. Sie verabredeten daß er alle Abend zu ihr kommen sollte, aber die Zauberin die nur bei Tage kam, merkte nichts davon, bis
20 einmal Rapunzel anfing und zu ihr sagte »sag sie mir doch, Frau Gothel, wie kommt es nur, sie wird mir viel schwerer heraufzuziehen, als der junge Königssohn, der ist in einem Augenblick bei mir«. »Ach du gottloses Kind«, rief die Zauberin, »was muß ich von dir hören, so hast du mich
25 doch betrogen!« Und in ihrem Zorne packte sie die schönen Haare der Rapunzel, schlug sie ein paar Mal um ihre linke Hand, griff eine Schere mit der rechten, und ritsch, ritsch, waren sie abgeschnitten, und die schönen Flechten lagen auf der Erde. Und sie war so unbarmherzig daß sie
30 die arme Rapunzel in eine Wüstenei* brachte, wo sie in großem Jammer und Elend leben mußte.

Denselben Tag aber, wo sie Rapunzel verstoßen hatte, machte die Zauberin Abends die abgeschnittenen Haare oben am Fensterhaken fest, und als der Königssohn kam
35 und rief

*hessisch: eigentlich Bezeichnung des Patenkindes, aber auch – wie hier – der Patentante

*Einöde, verlassene Gegend

»Rapunzel, Rapunzel,
laß dein Haar herunter«
so ließ sie die Haare hinab, aber der arme Königssohn fand
oben nicht seine liebste Rapunzel, sondern die Zauberin,
die ihn mit bösen und giftigen Blicken ansah, und zu ihm 5
sprach »für dich ist Rapunzel verloren, du wirst sie nie
wieder erblicken«. Der Königssohn geriet außer sich vor
Schmerz, und in der Verzweiflung stürzte er sich den Turm
herab: das Leben brachte er davon, aber die beiden Augen
waren verletzt. Blind irrte er im Walde umher, aß nichts als 10
Wurzeln und Beeren, und tat nichts als jammern und weinen über den Verlust seiner liebsten Frau. So irrte er einige
Jahre umher, und geriet endlich in die Wüstenei, wo Rapunzel mit den Zwillingen, die sie geboren hatte, einem
Knaben und Mädchen, kümmerlich lebte. Er vernahm eine 15
Stimme, und sie deuchte ihn* so bekannt: da ging er darauf
zu, und wie er heran kam, erkannte ihn Rapunzel, und fiel
ihm um den Hals und weinte. Zwei von ihren Tränen aber
benetzten seine Augen, da wurden sie wieder klar, und er
konnte damit sehen wie sonst. Er führte sie in sein Reich, 20
und sie lebten noch lange glücklich und vergnügt.

erschien ihm

4.
Die drei Männlein im Walde

Es war ein Mann, dem starb seine Frau, und eine Frau, der
starb ihr Mann; und der Mann hatte eine Tochter, und die 25
Frau hatte auch eine Tochter. Die Mädchen waren mit einander bekannt, und gingen zusammen spazieren, und kamen hernach zu der Frau ins Haus. Da sprach sie zu des
Mannes Tochter »hör, sag deinem Vater, ich wollt ihn heiraten, dann sollst du jeden Morgen dich in Milch waschen 30

und Wein trinken, meine Tochter aber soll sich in Wasser
waschen und Wasser trinken«. Das Mädchen ging nach
Haus, und erzählte seinem Vater was die Frau gesprochen
hatte. Der Mann sprach »was soll ich tun? das Heiraten ist
5 eine Freude und ist auch eine Qual«. Endlich, weil er keinen Entschluß fassen konnte, zog er seinen Stiefel aus, und
sagte »nimm diesen Stiefel, der hat in der Sohle ein Loch,
geh damit auf den Boden, häng ihn an den großen Nagel,
und gieß dann Wasser hinein. Hält er das Wasser, so will
10 ich wieder eine Frau nehmen, läufts aber durch, so will ich
nicht«. Das Mädchen tat wie ihm geheißen war: aber das
Wasser zog das Loch zusammen, und der Stiefel ward voll
bis obenhin. Nun verkündigte es seinem Vater wies ausge-
fallen war; er stieg selbst hinauf, und als er sah daß es seine
15 Richtigkeit hatte, ging er zu der Witwe und freite* sie, und   die Ehe antra-
die Hochzeit ward gehalten.   gen
Am andern Morgen, als die beiden Mädchen sich aufmach-   aufstanden
ten*, da stand vor des Mannes Tochter Milch zum Wa-
schen und Wein zum Trinken, vor der Frau Tochter aber
20 stand Wasser zum Waschen und Wasser zum Trinken. Am
zweiten Morgen stand Wasser zum Waschen und Wasser
zum Trinken so gut vor des Mannes Tochter als vor der
Frau Tochter. Und am dritten Morgen stand Wasser zum
Waschen und Wasser zum Trinken vor des Mannes Toch-
25 ter, und Milch zum Waschen und Wein zum Trinken vor
der Frau Tochter, und dabei bliebs. Die Frau ward ihrer
Stieftochter spinnefeind*, und wußte nicht wie sie es ihr   so feindlich
von einem Tag zum andern schlimmer machen sollte. Auch   gesinnt wie
war sie neidisch, weil ihre Stieftochter schön und lieblich,   zum Kanniba-
                                                               lismus neigen-
30 ihre rechte Tochter aber häßlich und widerlich war.   de Spinnen
Einmal im Winter, als es steinhart gefroren hatte, und Berg
und Tal vollgeschneit lag, machte die Frau ein Kleid von
Papier, rief dann das Mädchen, und sprach »da zieh das
Kleid an, und geh in den Wald, und hol mir ein Körbchen
35 voll Erdbeeren, ich habe Lust danach«. »Du lieber Gott«,

sagte das Mädchen, »im Winter wachsen ja keine Erdbeeren, die Erde ist gefroren, und der Schnee hat auch alles zugedeckt. Wie soll ich in dem Papierkleide gehen? es ist draußen so kalt, daß einem der Atem friert, da weht ja der Wind hindurch, und die Dornen reißen mirs vom Leib.« »Willst du mir noch widersprechen?« sagte die Stiefmutter, »mach daß du fortkommst, und laß dich nicht eher wieder sehen als bis du das Körbchen voll Erdbeeren hast.« Dann gab sie ihm noch ein Stückchen hartes Brot, und sprach »davon kannst du für den Tag essen«, und dachte »draußen wirds erfrieren und verhungern, und mir nimmermehr wieder vor die Augen kommen«.

Nun war das Mädchen gehorsam, tat das Papierkleid an, und ging mit dem Körbchen hinaus. Da war nichts als Schnee die Weite und Breite, und war kein grünes Hälmchen zu merken. Als es in den Wald kam, sah es ein kleines Häuschen, daraus guckten drei kleine Haulenmännerchen*, denen wünschte es die Tageszeit, und klopfte an der Türe. Sie riefen herein, und es ging in die Stube, und setzte sich auf die Bank am Ofen, da wollte es sich wärmen und sein Frühstück essen. Die Haulemännerchen sprachen »gib uns auch etwas davon«. »Gerne« sprach es, teilte sein Stückchen Brot entzwei, und gab ihnen die Hälfte. Sie fragten »was willst du zur Winterzeit in deinem dünnen Kleidchen hier im Wald?« »Ach«, antwortete es, »ich soll ein Körbchen voll Erdbeeren suchen, und darf nicht eher nach Hause kommen, als bis ich es mitbringe.« Als es nun sein Brot gegessen, gaben sie ihm einen Besen, und sprachen »damit kehre an der Hintertüre den Schnee weg«. Wie es aber draußen war, sprachen die drei Männerchen untereinander »was sollen wir ihm schenken, weil es so artig und gut ist, und sein Brot mit uns geteilt hat?« Da sagte der erste »ich schenk ihm daß es jeden Tag schöner wird«. Der zweite sprach »ich schenk ihm daß die Goldstücke ihm aus dem Mund fallen, so oft es ein Wort spricht«. Der dritte sprach

Höhlenmännchen

Die drei Männlein im Walde

»ich schenk ihm daß ein König kommt, und es zu seiner Gemahlin macht«.

Das Mädchen aber kehrte mit dem Besen der Haulemännerchen den Schnee hinter dem kleinen Hause weg, und fand darunter alles rot von schönen reifen Erdbeeren. Da raffte es in seiner Freude sein Körbchen voll, dankte den kleinen Männern, nahm Abschied von ihnen, und lief nach Haus, und wollte es der Stiefmutter bringen. Und wie es eintrat und »guten Abend« sagte, fiel ihm schon ein Goldstück aus dem Mund. Darauf erzählte es was ihm im Walde begegnet war, aber bei jedem Worte das es sprach, fielen ihm die Goldstücke aus dem Mund so daß bald die ganze Stube damit bedeckt wurde. »Nun sehe einer den Übermut«, sagte die Stiefschwester, »das Geld so hinzuwerfen«, aber heimlich war sie neidisch darüber, und lag der Mutter beständig an daß sie es auch in den Wald schicken möchte. Die Mutter wollte aber nicht, und sprach »nein, mein liebes Töchterchen, es ist zu kalt, du könntest mir erfrieren«. Weil es sie aber plagte, und ihr keine Ruhe ließ, gab sie endlich nach, nähte ihm aber vorher einen prächtigen Pelzrock, den es anziehen mußte, und gab ihm Butterbrot und Kuchen mit auf den Weg.

Das Mädchen ging in den Wald und gerade nach dem kleinen Häuschen. Die drei kleinen Haulemänner guckten wieder, aber es grüßte sie nicht, ging geradezu in die Stube hinein, setzte sich an den Ofen, und fing an sein Butterbrot und seinen Kuchen zu essen. »Gib uns doch davon« riefen die Kleinen, aber es antwortete »es schickt mir selber nicht[*], wie kann ich andern noch davon abgeben?« Als es nun fertig war mit dem Essen, sprachen sie »da hast du einen Besen, kehr uns vor der Hintertür rein«. »Ei, kehrt euch selber«, antwortete es, »ich bin eure Magd nicht.« Wie es sah daß sie ihm nichts schenken wollten, ging es zur Türe hinaus. Da sprachen die kleinen Männer untereinander »was sollen wir ihm schenken, weil es so unartig ist,

in älterem Sinn: »es passt nicht«, »es ist nicht ausreichend«

und ein böses neidisches Herz hat, das niemand etwas
gönnt?« Der erste sprach »ich schenk ihm daß es jeden Tag
häßlicher wird«. Der zweite sprach »ich schenk ihm daß
ihm bei jedem Wort, das es spricht, eine Kröte aus dem
Mund springt«. Der dritte sprach »ich schenk ihm daß es
eines unglücklichen Todes stirbt«. Das Mädchen suchte
draußen nach Erdbeeren, als es aber keine fand, ging es
verdrießlich nach Haus. Und wie es den Mund auftat, und
seiner Mutter erzählen wollte was ihm im Walde begegnet
war, da sprang ihm bei jedem Wort eine Kröte aus dem
Mund, so daß alle einen Abscheu vor ihm bekamen.

Nun ärgerte sich die Stiefmutter noch viel mehr, und dachte nur darauf wie sie der Tochter des Mannes alles Herzeleid antun wollte, deren Schönheit doch alle Tage größer
ward. Endlich nahm sie einen Kessel, setzte ihn zum Feuer,
und sott Garn darin. Als es gesotten war, gab sie es dem
armen Mädchen und eine Axt dazu, damit sollte es auf den
gefrornen Fluß gehen, ein Eisloch hauen, und das Garn
spülen   schlittern*. Nun war es gehorsam, ging hin, und haute ein
Loch, und als es mitten im Hauen war, kam ein prächtiger
Wagen hergefahren, worin der König saß. Er hielt still, und
fragte »mein Kind, wer bist du, und was machst du da?«
»Ich bin ein armes Mädchen, und schlittere Garn.« Da
fühlte der König Mitleiden, und als er sah wie es so gar
schön war, sprach er »willst du mit mir fahren?« »Ach ja,
von Herzen gern« antwortete es, denn es war froh daß es
der Mutter und Schwester aus den Augen kommen sollte.
Also stieg es in den Wagen, und fuhr mit dem König fort,
und als sie auf sein Schloß gekommen waren, ward die
Hochzeit mit großer Pracht gefeiert, wie es die kleinen
Männlein dem Mädchen geschenkt hatten. Über ein Jahr
gebar die junge Königin einen Sohn, und als die Stiefmutter
von dem großen Glücke gehört hatte, so kam sie mit ihrer
Tochter gegangen, und tat als wollte sie einen Besuch machen. Als aber der König einmal hinaus gegangen und sonst

niemand zugegen war, packte das böse Weib die Königin am Kopf, und ihre Tochter an den Füßen, hoben sie aus dem Bett, und warfen sie zum Fenster hinaus in den vorbei fließenden Strom. Dann nahm sie ihre häßliche Tochter, legte sie ins Bett, und deckte sie zu bis über den Kopf. Als der König wieder zurück kam, und mit seiner Frau sprechen wollte, rief die Alte »still, still! jetzt geht das nicht, sie liegt in großem Schweiß, ihr müßt sie heute ruhen lassen«. Der König dachte nichts Böses dabei, und kam erst den andern Morgen wieder, und wie er mit seiner Frau sprach, und sie ihm antworten mußte, sprang bei jedem Wort eine Kröte hervor, während sonst ein Goldstück herausgefallen war. Da fragte er was das wäre, aber die Alte sprach das hätte sie von dem großen Schweiß gekriegt, und würde sich schon wieder verlieren.

In der Nacht aber sah der Küchenjunge wie eine Ente durch die Gosse* geschwommen kam, die sprach   Wasserrinne

   »König, was machst du?

   schläfst du, oder wachst du?«

Und als er keine Antwort gab, sprach sie

   »was machen meine Gäste?«

Da antwortete der Küchenjunge

   »sie schlafen feste«.

Fragte sie weiter

   »was macht mein Kindelein?«

Antwortete er

   »es schläft in der Wiege fein.«

Da ging sie in der Königin Gestalt hinauf, gab ihm zu trinken, schüttelte ihm sein Bettchen, deckte es zu, und schwamm als Ente wieder durch die Gosse fort. So kam sie zwei Nächte, in der dritten sprach sie zu dem Küchenjungen »geh und sage dem König daß er sein Schwert nimmt, und auf der Schwelle dreimal über mir schwingt«. Da lief der Küchenjunge, und sagte es dem König, der kam mit seinem Schwert, und schwang es dreimal über dem Geist;

und beim drittenmal stand seine Gemahlin vor ihm, frisch, lebendig und gesund, wie sie vorher gewesen war.

Nun war der König in großer Freude, und hielt die Königin in einer Kammer verborgen bis auf den Sonntag, wo das Kind getauft werden sollte. Und als es getauft war, sprach er »was gehört einem Menschen, der den andern aus dem Bett trägt und ins Wasser wirft?« »Nichts besseres«, antwortete die Alte, »als daß er in ein Faß gesteckt wird, das mit Nägeln ausgeschlagen ist, und den Berg hinab ins Wasser gerollt.« Da ließ der König ein solches Faß holen, und die Alte mit ihrer Tochter hineinstecken, dann ward der Boden zugehämmert, und das Faß bergab gekullert, bis es in den Fluß rollte.

5.
Hänsel und Grethel

Vor einem großen Walde wohnte ein armer ⌈Holzhacker⌉, der hatte nichts zu beißen und zu brechen, und kaum das tägliche Brot für seine Frau und seine zwei Kinder, Hänsel und Grethel. Endlich kam die Zeit da konnte er auch das nicht schaffen, und wußte keine Hülfe mehr für seine Not. Wie er sich nun Abends vor Sorge im Bett herumwälzte, sprach seine Frau zu ihm »hör, Mann, morgen früh nimm die beiden Kinder, gib jedem noch ein Stückchen Brot, dann führe sie hinaus in den Wald, mitten inne, wo er am dicksten ist, da mach ihnen ein Feuer an, und dann geh weg, und laß sie dort allein: wir können sie nicht länger ernähren«. »Nein, Frau«, sagte der Mann, »wie soll ich übers Herz bringen, meine eigenen lieben Kinder den wilden Tieren im Wald zu überliefern, die würden sie bald zerrissen haben.« »Wenn du das nicht tust«, sprach die

30   Hänsel und Grethel

Frau, »so müssen wir alle miteinander Hungers sterben«,
und ließ ihm keine Ruhe, bis er einwilligte.
Die zwei Kinder waren auch noch vor Hunger wach gewesen, und hatten mit angehört was die ⌜Mutter⌝ zum Vater gesagt hatte. Grethel dachte »nun ist es um mich geschehen«, und fing erbärmlich an zu weinen, Hänsel aber
sprach »sei still, Grethel, und gräme dich nicht, ich will uns
schon helfen«. Damit stieg er auf*, zog sein Röcklein an,
machte die Untertüre* auf, und schlich hinaus. Da schien
der Mond hell, und die weißen Kieselsteine glänzten wie
lauter Batzen*. Hänsel bückte sich, und steckte so viel in
sein Rocktäschlein als nur hinein wollten, dann ging er
zurück ins Haus. »Tröste dich, Grethel, und schlaf nur ruhig«, sprach er, legte sich wieder ins Bett und schlief ein.
Morgens früh, ehe die Sonne noch aufgegangen war, kam
die Mutter und weckte die beiden Kinder »steht auf, wir
wollen in den Wald gehen. Da hat jedes von euch ein Stücklein Brot, aber haltets zu Rat*, und hebts euch für den Mittag auf«. Grethel nahm das Brot unter die Schürze, weil
Hänsel die Steine in der Tasche hatte, dann machten sie sich
auf den Weg zum Wald hinein. Wie sie ein Weilchen gegangen waren, stand Hänsel still, und guckte nach dem Haus
zurück, bald darauf wieder und immer wieder. Der Vater
sprach »Hänsel, was guckst du da und bleibst zurück, hab
acht und heb deine Beine auf«. »Ach Vater, ich seh nach
meinem weißen Kätzchen, das sitzt oben auf dem Dach
und will mir Ade sagen.« Die Mutter sprach »Narr, das ist
dein Kätzchen nicht, das ist die Morgensonne, die auf den
Schornstein scheint«. Hänsel aber hatte nicht nach dem
Kätzchen gesehen, sondern immer ⌜einen von den blanken
Kieselsteinen aus seiner Tasche auf den Weg geworfen⌝.
Wie sie mitten in den Wald gekommen waren, sprach der
Vater »nun sammelt Holz, ihr Kinder, ich will ein Feuer
anmachen, daß wir nicht frieren«. Hänsel und Grethel tru-
gen Reisig* zusammen, einen kleinen Berg hoch. Da steck-

stand er auf

untere Hälfte
einer zweige-
teilten Tür

kleine silberne
Geldstücke

haltet Vorrat
damit

Kollektiv zu
Reis (kleiner
Zweig)

ten sie es an, und wie die Flamme recht groß brannte, sagte die Mutter »nun legt euch ans Feuer und schlaft, wir wollen in dem Wald das Holz fällen: wartet bis wir wieder kommen, und euch abholen«.

Hänsel und Grethel saßen an dem Feuer bis zu Mittag, da aß jedes sein Stücklein Brot; sie glaubten, der Vater wäre noch im Wald, weil sie die Schläge einer Axt hörten, aber das war ein Ast, den er an einen Baum gebunden hatte, und den der Wind hin und her schlug. Nun warteten sie bis zum Abend, aber Vater und Mutter blieben aus, und niemand wollte kommen und sie abholen. Wie es nun finstere Nacht wurde, fing Grethel an zu weinen, Hänsel aber sprach »wart nur ein Weilchen, bis der Mond aufgegangen ist«. Und als der Mond aufgegangen war, faßte er Grethel bei der Hand, da lagen die Kieselsteine, und schimmerten wie neugeschlagene Batzen, und zeigten ihnen den Weg. Da gingen sie die ganze Nacht durch, und wie es Morgen war, kamen sie wieder bei ihres Vaters Haus an. Der Vater freute sich als er seine Kinder wieder sah, denn es war ihm zu Herzen gegangen, wie er sie so allein gelassen hatte; die Mutter stellte sich auch als wenn sie sich freute, heimlich aber war sie bös.

Nicht lange darnach war wieder kein Brot im Hause, und Hänsel und Grethel hörten wie Abends die Mutter zum Vater sagte »einmal haben die Kinder den Weg zurückgefunden, und da habe ichs gut sein lassen: aber jetzt ist wieder nichts als nur noch ein halber Laib Brot im Haus, du mußt sie morgen tiefer in den Wald führen, daß sie den Weg nicht zurück finden, es ist sonst keine Hülfe mehr für uns«. Dem Mann fiels schwer aufs Herz, und er dachte »es wäre doch besser wenn du den letzten Bissen mit deinen Kindern teiltest«; weil er aber einmal eingewilligt hatte, so durfte er nicht nein sagen. Als die Kinder das Gespräch gehört hatten, stand Hänsel auf, und wollte wieder Kieselsteine auflesen, wie er aber an die Türe kam, da hatte sie die Mutter zugeschlossen. Doch tröstete er die Grethel, und sprach »schlaf nur, Grethel, der liebe Gott wird uns schon helfen«. Morgens früh erhielten sie ihr Stücklein Brot, noch kleiner als das vorigemal. Auf dem Wege bröckelte es Hänsel in der Tasche, stand oft still, und warf ein Bröcklein an die Erde. »Was bleibst du immer stehen, Hänsel, und guckst dich um?« sagte der Vater, »geh deiner Wege.« »Ich sehe nach meinem Täubchen, das sitzt auf dem Dach, und will mir Ade sagen.« »Du Narr«, sagte die Mutter, »das ist dein Täubchen nicht, das ist die Morgensonne, die auf den Schornstein oben scheint.« Hänsel aber zerbröckelte all sein Brot, und warf die Bröcklein auf den Weg.

Die Mutter führte sie noch tiefer in den Wald hinein, wo sie ihr Lebtag nicht gewesen waren, da sollten sie wieder bei einem großen Feuer sitzen und schlafen, und Abends wollten die Eltern kommen und sie abholen. Zu Mittag teilte Grethel ihr Brot mit Hänsel, weil der seins all auf den Weg gestreut hatte, aber der Mittag verging, und der Abend verging, und niemand kam zu den armen Kindern. Hänsel tröstete die Grethel und sagte »wart, wenn der Mond aufgeht, dann seh ich die Bröcklein Brot, die ich ausgestreut habe, die zeigen uns den Weg nach Haus«. Der Mond ging auf, wie aber Hänsel nach den Bröcklein sah, da waren sie weg: die viel tausend Vöglein in dem Wald, die hatten sie gefunden und aufgepickt. Hänsel meinte doch den Weg nach Haus zu finden, und zog die Grethel mit sich: aber sie verirrten sich bald in der großen Wildnis, und gingen die Nacht und den ganzen Tag, da schliefen sie vor Müdigkeit ein. Dann gingen sie noch einen Tag, aber sie kamen nicht aus dem Wald heraus, und waren so hungrig, denn sie hatten nichts zu essen, als ein paar kleine Beeren, die auf der Erde standen.

Als sie am dritten Tage wieder bis zu Mittag gegangen waren, da kamen sie an ein Häuslein, das war ganz aus Brot gebaut, und war mit Kuchen gedeckt, und die Fenster waren von hellem Zucker. »Da wollen wir uns niedersetzen, und uns satt essen«, sagte Hänsel, »ich will vom Dach essen, iß du vom Fenster, Grethel, das ist fein süß für dich.« Wie nun Grethel an dem Zucker knuperte*, rief drinnen eine feine Stimme

»knuper, knuper, kneischen*,
wer knupert an meinem Häuschen?«

Die Kinder antworteten

⌈»der Wind, der Wind,
das himmlische Kind«⌉.

Und aßen weiter. Grethel brach sich eine ganze runde Fensterscheibe heraus, und Hänsel riß sich ein großes Stück Kuchen vom Dach ab. Da ging die Türe auf, und eine steinalte Frau kam heraus geschlichen. Hänsel und Grethel erschraken so gewaltig, daß sie fallen ließen was sie in Händen hatten. Die Alte aber wackelte mit dem Kopf, und sagte »ei, ihr lieben Kinder, wo seid ihr denn hergelaufen, kommt herein mit mir, ihr sollts gut haben«, faßte beide an der Hand, und führte sie in ihr Häuschen. Da ward gutes Essen aufgetragen, Milch und Pfannkuchen mit Zucker, Äpfel und Nüsse, und dann wurden zwei schöne Bettlein bereitet: da legten sich Hänsel und Grethel hinein, und meinen sie wären im Himmel.

Die Alte aber war eine böse Hexe, die lauerte den Kindern auf, und hatte bloß um sie zu locken ihr Brothäuslein gebaut, und wenn eins in ihre Gewalt kam, da machte sie es tot, kochte es und aß es, und das war ihr ein Festtag. Da war sie nun recht froh wie Hänsel und Grethel ihr zugelaufen kamen. Früh, ehe sie noch erwacht waren, stand sie schon auf, ging an ihr Bettlein, und wie sie die zwei so lieblich ruhen sah, freute sie sich, und murmelte »das wird ein guter Bissen für mich sein«. Darauf packte sie Hänsel, und steckte ihn in einen kleinen Stall; wie er nun aufwachte, war er von einem Gitter umschlossen, wie man junge Hühnlein einsperrt, und konnte nur ein paar Schritte ge-

---

Margin notes:

hessisch: an etwas Hartem nagen

sprich »kneis-chen«: Phantasiereimwort auf »Häuschen« (hessisch »Heis-chen« ausgesprochen)

hen. Dann aber rüttelte sie die Grethel aus dem Schlaf, und
rief »steh auf, du Faullenzerin, hol Wasser, und geh in die
Küche, und koch was Gutes zu essen, dort steckt dein Bruder in einem Stall, den will ich erst fett machen, und wenn
er fett ist, dann will ich ihn essen; jetzt sollst du ihn füttern«.
Grethel erschrak und weinte, mußte aber tun was die böse
Hexe verlangte. Da ward nun alle Tage dem Hänsel das
beste Essen gekocht, daß er fett werden sollte: Grethel aber
bekam nichts, als die Krebsschalen. Alle Tage kam die Alte
und sagte »Hänsel, streck deine Finger heraus, daß ich füh-
le ob du bald fett genug bist«. Hänsel streckte ihr aber
immer statt des Fingers ein Knöchlein heraus: da verwunderte sie sich daß er so mager blieb, und gar nicht zuneh-
men wollte.

Nach vier Wochen sagte sie eines Abends zu Grethel »sei
flink, geh und trag Wasser herbei, dein Brüderchen mag
nun fett sein oder nicht, morgen will ich es schlachten und
sieden; ich will derweile den Teig anmachen, daß wir auch
dazu backen können«. Da ging Grethel mit traurigem Herzen, und trug das Wasser, worin Hänsel sollte gesotten
werden. Früh Morgens mußte Grethel aufstehen, Feuer an-
zünden, und den Kessel mit Wasser aufhängen. »Gib nun
acht«, sagte die Hexe, »ich will Feuer in den Backofen machen, und das Brot hineinschieben.« Grethel stand in der
Küche, und weinte blutige Tränen, und dachte »hätten uns
lieber die wilden Tiere im Walde gefressen, so wären wir
zusammen gestorben, und müßten nun nicht das Herzeleid
tragen: und ich müßte nicht selber das Wasser heiß machen
zu dem Tode meines lieben Bruders: barmherziger Gott,
hilf uns armen Kindern aus der Not«.

Da rief die Alte »Grethel, komm her zu dem Backofen«.
Wie Grethel kam, sagte sie »guck hinein ob das Brot schon
hübsch braun und gar ist, meine Augen sind schwach, ich
kann nicht so weit sehen, und wenn du auch nicht kannst,
so setz dich auf das Brett, so will ich dich hineinschieben,

da kannst du darin herum gehen und nachsehen«. Sobald aber Grethel darin war, wollte sie zumachen, und Grethel sollte in dem heißen Ofen backen, und dann wollte sie es auch aufessen. Gott gab es aber dem Mädchen in den Sinn, daß es sprach »ich weiß nicht wie ich das anfangen soll, zeige mirs erst, und setz dich auf, ich will dich hineinschieben«. Da setzte sich die Alte auf das Brett, und weil sie leicht war, schob Grethel sie hinein, so weit der Stiel an dem Brett reichte, und dann machte es geschwind die Türe zu, und steckte den eisernen Riegel vor. Nun fing die Alte an in dem heißen Backofen zu schreien und zu jammern; Grethel aber lief fort, und die gottlose Hexe mußte elendiglich verbrennen.

Da lief Grethel zum Hänsel, machte ihm sein Türchen auf, und rief »spring heraus, Hänsel, wir sind erlöst«. Da sprang Hänsel heraus, wie ein eingesperrtes Vöglein aus dem Käfig springt, wenn ihm das Türchen geöffnet wird. Und sie weinten vor Freude, und küßten einander herzlich. Das ganze Häuschen aber war voll von Edelsteinen und Perlen, damit füllten sie ihre Taschen, gingen fort, und suchten den Weg nach Haus. Sie kamen aber vor ein großes Wasser, und konnten nicht hinüber. Da sah das Schwesterchen ein weißes Entchen hin und her schwimmen, dem rief es »ach, liebes Entchen, nimm uns auf deinen Rücken«. Als das Entchen das hörte, kam es geschwommen, und trug Grethel hinüber, und dann holte es auch Hänsel. ⌈Darnach fanden sie bald ihre Heimat. Der Vater freute sich herzlich als er sie wieder sah, denn er hatte keinen vergnügten Tag gehabt, seit seine Kinder fort waren. Die Mutter aber war gestorben. Nun brachten die Kinder Reichtümer genug mit, und sie brauchten für Essen und Trinken nicht mehr zu sorgen.⌉

6.
Aschenputtel

Einem reichen Manne dem wurde seine Frau krank, und
als sie fühlte daß ihr Ende heran kam, rief sie ihr einziges
Töchterlein zu sich ans Bett, und sprach »liebes Kind, bleib
fromm und gut, so wird dir der liebe Gott immer beistehen,
und ich will vom Himmel auf dich herab blicken, und will
um dich sein«. Darauf tat sie die Augen zu, und verschied.
Das Mädchen ging jeden Tag hinaus zu dem Grabe der
Mutter und weinte, und blieb fromm und gut. Der Schnee
aber deckte ein weißes Tüchlein auf das Grab, und als die
Sonne es wieder herabgezogen hatte, nahm sich der Mann
eine andere Frau.

Die Frau hatte zwei Töchter mit ins Haus gebracht, die
schön und weiß von Angesicht waren, aber garstig und
schwarz von Herzen. Da ging eine schlimme Zeit für das
arme Stiefkind an. »Was soll das Geschöpf in den Stuben*«,
sprachen sie, »wer Brot essen will, muß es verdienen: hinaus mit der Küchenmagd.« Sie nahmen ihm seine schönen
Kleider weg, zogen ihm einen grauen alten Kittel an, lach-
ten es dann aus, und führten es in die Küche. Da mußte es
so schwere Arbeit tun, früh vor Tag aufstehn, Wasser tragen, Feuer anmachen, kochen und waschen. Obendrein taten ihm die Schwestern alles ersinnliche Herzeleid an, ver-
spotteten es, und schütteten ihm die Erbsen und Linsen in
die Asche, so daß es sitzen und sie wieder auslesen mußte.
Abends, wenn es sich müde gearbeitet hatte, kam es in kein
Bett, sondern mußte sich neben den Herd in die Asche legen. Und weil es darum immer staubig und schmutzig aussah, nannten sie es Aschenputtel*.

Es trug sich zu, daß der Vater einmal in die Messe* ziehen
wollte, da fragte er die beiden Stieftöchter, was er ihnen
mitbringen sollte? »Schöne Kleider«, sagte die eine, »Perlen

Wohnzimmer

hessisch »put-
teln«: die oder
der sich (wie
Hühner im
Staub) in der
Asche wälzt
auf die Ver-
kaufsmesse

und Edelsteine« die zweite. »Nun, Aschenputtel«, sprach
er, »was willst du haben?« »Vater, das erste Reis, das euch
auf eurem Heimweg an den Hut stößt, das brecht für mich
ab.« Er kaufte nun für die beiden Stiefschwestern schöne
Kleider, Perlen und Edelsteine, und auf dem Rückweg, als 5
er durch einen grünen Busch ritt, streifte ihn ein ⌐Hasel-
reis⌐*, und stieß ihm den Hut ab. Da brach er das Reis ab,
und nahm es mit. Als er nach Haus kam, gab er den Stief-
töchtern was sie sich gewünscht hatten, und dem Aschenputtel gab er das Reis von dem Haselbusch. Aschenputtel 10
dankte ihm, ging zu seiner Mutter Grab, und pflanzte das
Reis darauf, und weinte so sehr, daß es von seinen Tränen
begossen ward. Es wuchs aber und ward ein schöner
Baum. Aschenputtel ging ⌐alle Tage dreimal⌐ darunter,
weinte und betete, und allemal kam ein Vöglein auf den 15
Baum, und das Vöglein gab ihm was es sich wünschte.
Es begab sich aber, daß der König ein Fest anstellte, das
drei Tage dauern sollte, damit sich sein Sohn eine Braut
aussuchen möchte. Die zwei Stiefschwestern waren auch
dazu eingeladen, riefen Aschenputtel und sprachen »kämm 20
uns die Haare, bürste uns die Schuhe und schnalle uns die
Schnallen, wir tanzen auf des Königs Fest«. Das tat
Aschenputtel und weinte, weil es auch gern zum Tanz mit-
gegangen wär, und bat die Stiefmutter gar sehr sie möchte
es ihm erlauben. »Du Aschenputtel«, sprach sie, »hast 25
nichts am Leib, und hast keine Kleider, und kannst nicht
tanzen, und willst zur Hochzeit*!« Als es noch weiter bat,
sprach sie endlich ⌐»da habe ich dir eine Schüssel Linsen in
die Asche geschüttet, und wenn du die Linsen in zwei Stun-
den wieder ausgelesen hast, so sollst du mitgehen«.⌐ Das 30
Mädchen ging vor die Hintertüre nach dem Garten zu, und
rief »ihr zahmen Täubchen, ihr Turteltäubchen, all ihr
Vöglein unter dem Himmel, kommt und helft mir lesen,

    die guten ins Töpfchen,
    die schlechten ins Kröpfchen«. 35

Aschenputtel

Da kamen zum Küchenfenster zwei weiße Täubchen herein, und darnach die Turteltäubchen, und endlich schwirrten und schwärmten alle Vöglein unter dem Himmel herein, und ließen sich um die Asche nieder. Und die Täubchen nickten mit den Köpfchen, und fingen an pik, pik, pik, pik, und da fingen die übrigen auch an pik, pik, pik, pik, und lasen alle guten Körnlein in die Schüssel. Wie eine Stunde herum war, waren sie schon fertig, und flogen alle wieder hinaus. Da brachte das Mädchen die Schüssel der Stiefmutter, und freute sich, und glaubte es dürfte nun mit auf die Hochzeit gehen. Aber sie sprach »nein du Aschenputtel, du hast keine Kleider und kannst nicht tanzen, du sollst nicht mitgehen«. Als es nun weinte, sprach sie ⌐»wenn du mir zwei Schüsseln voll Linsen in einer Stunde aus der Asche rein lesen kannst, so sollst du mitgehen«⌐, und dachte dabei »das kann es nimmermehr«. Nun schüttete sie zwei Schüsseln Linsen in die Asche; aber das Mädchen ging vor die Hintertüre nach dem Garten zu, und rief »ihr zahmen Täubchen, ihr Turteltäubchen, all ihr Vöglein unter dem Himmel, kommt und helft mir lesen,

> die guten ins Töpfchen,
> die schlechten ins Kröpfchen«.

Da kamen zum Küchenfenster zwei weiße Täubchen herein, und danach die Turteltäubchen, und endlich schwirrten und schwärmten alle Vöglein unter dem Himmel herein, und ließen sich um die Asche nieder. Und die Täubchen nickten mit ihren Köpfchen, und fingen an pik, pik, pik, pik, und da fingen die übrigen auch an pik, pik, pik, pik, und lasen alle guten Körner in die Schüsseln. Und eh eine halbe Stunde herum war, waren sie schon fertig, und flogen alle wieder hinaus. Da brachte das Mädchen der Stiefmutter die Schüsseln, und freute sich, und glaubte nun dürfte es mit auf die Hochzeit gehen. Aber sie sprach »es hilft dir alles nichts: du kommst nicht mit, denn du hast keine Kleider und kannst nicht tanzen, und wir müßten uns nur schämen«. Darauf ging sie mit ihren zwei Töchtern fort.

Als nun niemand mehr daheim war, ging Aschenputtel zu seiner Mutter Grab unter den Haselbaum, und rief

»Bäumchen rüttel dich und schüttel dich,
wirf Gold und Silber über mich«.

Da warf ihm der Vogel ein golden und silbern Kleid herunter, und mit Seide und Silber ausgestickte Pantoffeln. Da zog es das Kleid an, und ging zur Hochzeit. Seine Schwestern aber und die Stiefmutter kannten es nicht, und meinten es müßte eine fremde Königstochter sein, so schön sah es in den reichen Kleidern aus. An Aschenputtel dachten sie gar nicht, und glaubten es läge daheim im Schmutz. Der Königssohn kam ihm entgegen und nahm es bei der Hand, und tanzte mit ihm. Er wollte auch mit sonst niemand tanzen also daß er ihm die Hand nicht los ließ, und wenn ein anderer kam, es aufzufordern, sprach er »das ist meine Tänzerin«.

Er tanzte bis es Abend war, ⌐da wollte es nach Haus gehen⌐. Der Königssohn aber sprach »ich gehe mit und begleite dich«, denn er wollte sehen wem das schöne Mädchen angehörte. Sie entwischte ihm aber, und sprang in das Taubenhaus. Nun wartete der Königssohn bis der Vater kam, und sagte ihm das fremde Mädchen wär in das Taubenhaus gesprungen. Da dachte er »sollte es Aschenputtel sein«, und sie mußten Axt und Hacken bringen, damit er das Taubenhaus entzwei schlagen konnte: aber es war niemand darin. Und als sie ins Haus kamen, lag Aschenputtel in seinen schmutzigen Kleidern in der Asche, und ein trübes Öllämpchen brannte im Schornstein; denn Aschenputtel war geschwind durch das Taubenhaus gesprungen und zu dem Haselbäumchen gegangen, da hatte es die schönen Kleider ausgetan und aufs Grab gelegt, und der Vogel hatte sie wieder weggenommen, und dann hatte es sich in seinem grauen Kittelchen in die Küche zur Asche gesetzt.

Am andern Tag, als das Fest von neuem anhub, und die Eltern und Stiefschwestern wieder fort waren, ging

Aschenputtel zu dem Haselbaum und sprach
　»Bäumchen, rüttel dich und schüttel dich,
　　wirf Gold und Silber über mich«.
Da warf der Vogel ein noch viel stolzeres Kleid herab, als
am vorigen Tag. Und als es mit diesem Kleide auf der Hochzeit erschien, erstaunte jedermann über seine Schönheit:
der Königssohn aber hatte gewartet bis es kam, nahm es
gleich bei der Hand, und tanzte nur allein mit ihm. Wenn
die andern kamen und es aufforderten, sprach er »das ist
meine Tänzerin«. Als es nun Abend war, wollte es fort, und
der Königssohn ging mit, und wollte sehen in welches Haus
es ginge: aber es sprang ihm fort und in den Garten hinter
dem Haus. Darin stand ein schöner großer Birnbaum voll
herrlichem Obst, auf den stieg es gar behend, und der Königssohn wußte nicht, wo es hingekommen war. Er wartete
aber bis der Vater kam, und sprach zu ihm »das fremde
Mädchen ist mir entwischt, und ich glaube es ist auf den
Birnbaum gesprungen«. Der Vater dachte »sollte es
Aschenputtel sein«, und ließ sich die Axt holen, und hieb
den Baum um, aber es war niemand darauf. Und als sie in
die Küche kamen, lag Aschenputtel da in der Asche, wie
gewöhnlich, denn es war auf der andern Seite vom Baum
herabgesprungen, hatte dem Vogel auf dem Haselbäumchen die schönen Kleider wieder gebracht, und sein graues
Kittelchen angezogen.
Am dritten Tag, als die Eltern und Schwestern fort waren,
ging Aschenputtel wieder zu seiner Mutter Grab, und
sprach zu dem Bäumchen
　»Bäumchen, rüttel dich und schüttel dich,
　　wirf Gold und Silber über mich«.
Nun warf ihm der Vogel ein Kleid herab, das war so präch-
tig wie es noch keins gehabt hatte, und die Pantoffel waren
ganz golden. Als es zu der Hochzeit kam, wußten sie alle
nicht was sie vor Verwunderung sagen sollten, der Königssohn tanzte ganz allein mit ihm, und wenn es einer auffor-
derte, sprach er »das ist meine Tänzerin«.

Als es nun Abend war, wollte Aschenputtel fort, und der Königssohn wollte es begleiten, aber es entsprang ihm. ⌐Doch verlor es seinen linken ganz goldenen Pantoffel, denn der Königssohn hatte Pech auf die Treppe streichen lassen⌐, und daran blieb er hängen. Nun nahm er den Schuh, und ging am andern Tag damit zu dem Mann, und sagte ⌐die sollte seine Gemahlin werden, an deren Fuß dieser goldene Schuh paßte⌐. Da freuten sich die beiden Schwestern, weil sie schöne Füße hatten. Die Älteste ging mit dem Schuh in die Kammer, und wollte ihn anprobieren, und die Mutter stand dabei. Aber sie konnte mit der großen Zehe nicht hineinkommen, und der Schuh war ihr zu klein, da reichte ihr die Mutter ein Messer, und sprach »hau die Zehe ab, wann du Königin bist, so brauchst du nicht mehr zu Fuß zu gehen«. Das Mädchen hieb die Zehe ab, zwängte den Fuß hinein, und ging zum Königssohn. Der nahm sie als seine Braut aufs Pferd, und ritt mit ihr fort. Sie mußten aber an dem Grabe vorbei, da saßen die zwei Täubchen auf dem Haselbäumchen und riefen

»rucke di guck*, rucke di guck,
Blut ist im Schuck (Schuh),
der Schuck ist zu klein,
die rechte Braut sitzt noch daheim«.

Da blickte er auf ihren Fuß, und sah wie das Blut herausquoll. Er wendete sein Pferd um, brachte die falsche Braut wieder nach Haus, und sagte das wäre nicht die rechte, die andere Schwester sollte den Schuh anziehen. Da ging diese in die Kammer, und kam mit den Zehen in die Schuh, aber hinten die Ferse war zu groß. Da reichte ihr die Mutter ein Messer, und sprach »hau ein Stück von der Ferse ab, wann du Königin bist, brauchst du nicht mehr zu Fuß zu gehen«. Das Mädchen hieb ein Stück von der Ferse ab, zwängte den Fuß in den Schuh, und ging heraus zum Königssohn. Der nahm sie als seine Braut aufs Pferd, und ritt mit ihr fort. Als sie an dem Haselbäumchen vorbeikamen, saßen die zwei

Täubchen darauf und riefen

>»rucke di guck, rucke di guck,
Blut ist im Schuck,
der Schuck ist zu klein,
die rechte Braut sitzt noch daheim«.

Er blickte nieder auf ihren Fuß, und sah wie das Blut aus dem Schuh quoll, und an den weißen Strümpfen ganz rot heraufgestiegen war. Da wendete er sein Pferd, und brachte die falsche Braut wieder zurück. »Das ist auch nicht die rechte«, sprach er, »habt ihr keine andere Tochter?« »Nein«, sagte der Mann, »nur von meiner verstorbenen Frau ist noch ein kleines garstiges Aschenputtel da, das kann aber nicht die Braut sein.« Der Königssohn sprach er sollt es heraufschicken, die Mutter aber antwortete »ach nein, das ist viel zu schmutzig, das darf sich nicht sehen lassen«. Er wollte es aber durchaus haben, und Aschenputtel mußte gerufen werden. Da wusch es sich erst Hände und Angesicht rein, ging dann hin und neigte sich vor dem Königssohn, der ihm den goldenen Schuh reichte. Nun streifte es den schweren Schuh vom linken Fuß ab, setzte diesen auf den goldenen Pantoffel, und drückte ein wenig, so stand es darin, als wär er ihm angegossen. Und als es sich aufbückte, erkannte er es im Angesicht und sprach »das ist die rechte Braut!« Die Stiefmutter und die beiden Schwestern erschraken, und wurden bleich vor Ärger, er aber nahm Aschenputtel aufs Pferd, und ritt mit ihm fort. Als sie an dem Haselbäumchen vorbei kamen, riefen die zwei weißen Täubchen

>»rucke di guck, rucke di guck,
kein Blut im Schuck,
der Schuck ist nicht zu klein,
die rechte Braut, die führt er heim«.

Und als sie das gerufen hatten, kamen sie beide herab geflogen, und setzten sich dem Aschenputtel auf die Schultern, eine rechts, die andere links, und blieben da sitzen.

Als die Hochzeit mit dem Königssohn sollte gehalten werden, kamen die falschen Schwestern, wollten sich ein-
schmeicheln, und Teil an seinem Glück nehmen. ⌜Als die
Brautleute nun zur Kirche gingen, war die älteste zur rechten, die jüngste zur linken Seite, da pickten die Tauben   5
einer jeden das eine Auge aus; hernach als sie heraus gingen, war die älteste zur linken, und die jüngste zur rechten,
da pickten die Tauben einer jeden das andere Auge aus: und
waren sie also für ihre Bosheit und Falschheit mit Blindheit
auf ihr Lebtag gestraft.⌝   10

7.
Frau Holle

vgl. S. 37, 30

Eine Witwe hatte zwei Töchter, davon war die eine schön
und fleißig, die andere häßlich und faul. Sie hatte aber die
häßliche und faule, weil sie ihre rechte Tochter war, viel   15
lieber, und die andere mußte alle Arbeit tun, und der
Aschenputtel* im Hause sein. Das arme Mädchen mußte
sich täglich hinaus auf die große Straße bei einem Brunnen
setzen, und so viel spinnen, daß ihm das Blut aus den Fingern sprang. Nun trug es sich zu, daß die Spule einmal ganz 20
blutig war, da bückte es sich damit in den Brunnen, und
wollte sie abwaschen: sie sprang ihm aber aus der Hand,
und fiel hinab. Es weinte, lief zur Stiefmutter, und erzählte
ihr das Unglück: sie schalt es heftig, und war so unbarmherzig, daß sie sprach »hast du die Spule hinunterfallen   25
lassen, so hol sie auch wieder herauf«. Da ging das Mädchen zu dem Brunnen zurück, und wußte nicht was es anfangen sollte, und sprang in seiner Angst in den Brunnen
hinein. Als es erwachte, und wieder zu sich selber kam, war
es auf einer schönen Wiese, da schien die Sonne, und waren 30

viel tausend Blumen. Auf der Wiese ging es fort, und kam zu einem Backofen, der war voller Brot; das Brot aber rief »ach, zieh mich raus, zieh mich raus, sonst verbrenn ich, ich bin schon längst ausgebacken«. Da trat es fleißig herzu,

5 und holte alles heraus. Danach ging es weiter, und kam zu einem Baum, der hing voll Äpfel, und rief ihm zu »ach schüttel mich, schüttel mich, wir Äpfel sind alle mit einander reif«. Da schüttelte es den Baum, daß die Äpfel fielen als regneten sie, so lang bis keiner mehr oben war; und

10 dann ging es wieder weiter. Endlich kam es zu einem kleinen Haus, daraus guckte eine alte Frau, weil sie aber so große Zähne hatte, ward ihm Angst, und es wollte fortlaufen. Die alte Frau aber rief ihm nach »fürchte dich nicht, liebes Kind, bleib bei mir, wenn du alle Arbeit im Hause

15 ordentlich tun willst, so soll dirs gut gehn; nur mußt du acht geben daß du mein Bett gut machst, und es fleißig aufschüttelst, daß die Federn fliegen, dann schneit es in der Welt; ich bin die Frau Holle*«. Weil die Alte ihm so gut zusprach, willigte das Mädchen ein, und begab sich in ih-

20 ren Dienst. Es besorgte auch alles nach ihrer Zufriedenheit, und schüttelte ihr das Bett immer gewaltig auf; dafür hatte es auch ein gut Leben bei ihr, kein böses Wort, und alle Tage Gesottenes und Gebratenes. Nun war es eine Zeitlang bei der Frau Holle, da ward es traurig in seinem Herzen:

25 und ob es hier gleich viel tausendmal besser war als zu Haus, so hatte es doch ein Verlangen dahin; endlich sagte es zu ihr »ich habe den Jammer nach Haus* kriegt, und wenn es mir auch noch so gut hier geht, so kann ich doch nicht länger bleiben«. Die Frau Holle sagte »es gefällt mir,

30 daß du wieder nach Haus verlangst, und weil du mir so treu gedient hast, so will ich dich selbst wieder hinauf bringen«. Sie nahm es darauf bei der Hand, und führte es vor ein großes Tor. Das ward auf getan, und wie das Mädchen gerade unter dem Tor stand, fiel ein gewaltiger Goldregen,

35 und alles Gold blieb an ihm hängen, so daß es über und

Darum sagt man in Hessen, wenn es schneit, die Frau Holle macht ihr Bett (Grimmsche Anmerkung).

Heimweh

über davon bedeckt war. »Das sollst du haben, weil du so fleißig gewesen bist« sprach die Frau Holle, und gab ihm auch die Spule wieder, die ihm in den Brunnen gefallen war. Darauf ward das Tor verschlossen, und das Mädchen befand sich oben auf der Welt, nicht weit von seiner Mutter Haus, und als es in den Hof kam, saß der Hahn auf dem Brunnen und rief

»kikeriki,
unsere goldene Jungfrau ist wieder hie«.

Da ging es hinein zu seiner Mutter, und weil es so mit Gold bedeckt ankam, ward es gut aufgenommen.

Als die Mutter hörte wie es zu dem Reichtum gekommen war, wollte sie der andern häßlichen und faulen Tochter gerne dasselbe Glück verschaffen, und sie mußte sich auch an den Brunnen setzen und spinnen; damit ihr die Spule blutig ward, stach sie sich in die Finger, und zerstieß sich die Hand an der Dornhecke. Danach warf sie die Spule in den Brunnen, und sprang selber hinein. Sie kam, wie die andere, auf die schöne Wiese, und ging auf demselbem Pfade weiter. Als sie zu dem Backofen gelangte, schrie das Brot wieder »ach, zieh mich raus, zieh mich raus sonst verbrenn ich, ich bin schon längst ausgebacken«. Die Faule aber antwortete »da hätt ich Lust mich schmutzig zu machen«, und ging fort. Bald kam sie zu dem Äpfelbaum, der rief »ach, schüttel mich, schüttel mich, wir Äpfel sind alle mit einander reif«. Sie antwortete aber »du kommst mir recht, es könnte mir einer auf den Kopf fallen«, und ging damit weiter. Als sie vor der Frau Holle Haus kam, fürchtete sie sich nicht, weil sie von ihren großen Zähnen schon gehört hatte, und verdingte sich gleich zu ihr. Am ersten Tag tat sie sich Gewalt an, war fleißig und folgte der Frau Holle, wenn sie ihr etwas sagte, denn sie dachte an das viele Gold, das sie ihr schenken würde; am zweiten Tag aber fing sie schon an zu faulenzen, am dritten noch mehr, da wollte sie Morgens gar nicht aufstehen: sie machte auch der Frau Holle

das Bett schlecht, und schüttelte es nicht daß die Federn
aufflogen. Das ward die Frau Holle bald müde, und sagte
der Faulen den Dienst auf. Die war es wohl zufrieden, und
meinte nun werde der Goldregen kommen; die Frau Holle
5 führte sie auch zu dem Tor, als sie aber darunter stand,
ward statt des Golds ein großer Kessel voll Pech ausge-
schüttet. »Das ist zur Belohnung deiner Dienste« sagte die
Frau Holle, und schloß das Tor zu. Da kam die Faule heim
ganz mit Pech bedeckt; der Hahn aber auf dem Brunnen,
10 als er sie sah, rief
    »kikeriki,
    unsere schmutzige Jungfrau ist wieder hie«.
Das Pech aber wollte, so lange sie lebte, nicht abgehen und
blieb an ihr hängen.

15 8.
Rotkäppchen

Es war einmal eine kleine süße Dirne*, die hatte jedermann   Mädchen
lieb, der sie nur ansah, am allerliebsten aber ihre Großmutter, die wußte gar nicht was sie alles dem Kinde geben
20 sollte. Einmal schenkte sie ihm ein Käppchen von rotem
Sammet, und weil ihm das so wohl stand, und es nichts
anders mehr tragen wollte, hieß es nur das Rotkäppchen.
Da sagte einmal seine Mutter zu ihm »komm, Rotkäppchen, da hast du ein Stück Kuchen und eine Flasche Wein,
25 die bring der Großmutter hinaus: weil sie krank und
schwach ist, wird sie sich daran laben*, sei aber hübsch   erquicken,
artig und grüß sie von mir, geh auch ordentlich, und lauf   stärken
nicht vom Weg ab, sonst fällst du, und zerbrichst das Glas,
dann hat die kranke Großmutter nichts«.
30 Rotkäppchen sagte »ich will schon alles gut ausrichten«,

und gab der Mutter die Hand darauf. Die Großmutter aber
wohnte draußen im Wald, eine halbe Stunde vom Dorf.
Wie nun Rotkäppchen in den Wald kam, begegnete ihm
der Wolf. Rotkäppchen aber wußte nicht was das für ein
böses Tier war, und fürchtete sich nicht vor ihm. »Guten 5
Tag, Rotkäppchen«, sprach er. »Schönen Dank, Wolf.«
»Wo hinaus so früh, Rotkäppchen?« »Zur Großmutter.«
»Was trägst du unter der Schürze?« »Kuchen und Wein für
die kranke und schwache Großmutter; gestern haben wir
gebacken, da soll sie sich etwas zu gut tun und sich stär- 10
ken.« »Rotkäppchen, wo wohnt deine Großmutter?«
»Noch eine gute Viertelstunde im Wald, unter den drei großen Eichbäumen, da steht ihr Haus, unten sind die Nuß-
hecken, das wirst du ja wissen« sagte Rotkäppchen. Der
Wolf dachte bei sich »das junge zarte Mädchen, das ist ein 15
guter Bissen für dich: wie fängst dus an, daß du den
kriegst?« Da ging er ein Weilchen neben Rotkäppchen her,
dann sprach er »Rotkäppchen, sieh einmal die schönen
Blumen, die im Walde stehen, warum guckst du nicht um
dich? ich glaube du hörst gar nicht darauf, wie die Vöglein 20
so lieblich singen? du gehst ja für dich hin als wenn du zur
draußen   Schule gingst, und ist so lustig haußen* in dem Wald«.
Rotkäppchen schlug die Augen auf, und als es sah wie die
Sonne durch die Bäume hin und her sprang, und alles voll
schöner Blumen stand, dachte es »wenn ich der Großmut- 25
ter einen Strauß mitbringe, der wird ihr auch lieb sein; es ist
ja noch früh, daß ich doch zu rechter Zeit ankomme«, und
sprang in den Wald und suchte Blumen. Und wenn es eine
gebrochen hatte, meinte es weiter hinaus stände eine noch
schönere, und lief darnach, und lief immer tiefer in den 30
Wald hinein. Der Wolf aber ging geradeswegs nach dem
Haus der Großmutter, und klopfte an die Türe. »Wer ist
draußen?« »Rotkäppchen, das bringt dir Kuchen und
Wein, mach auf.« »Drück nur auf die Klinke«, rief die
Großmutter, »ich bin zu schwach, und kann nicht aufste- 35

hen.« Der Wolf drückte auf die Klinke, trat hinein, und
ging, ohne ein Wort zu sprechen, geradezu an das Bett der
Großmutter, und verschluckte sie. Dann nahm er ihre Kleider, tat sie an, setzte sich ihre Haube auf, legte sich in ihr
Bett, und zog die Vorhänge* vor.

Rotkäppchen aber war herum gelaufen nach Blumen, und
als es so viel hatte, daß es keine mehr tragen konnte, fiel
ihm die Großmutter wieder ein, und es machte sich auf den
Weg zu ihr. Es wunderte sich, daß die Türe aufstand, und
wie es in die Stube kam, sahs so seltsam darin aus, daß es
dachte »ei, du mein Gott, wie ängstlich wird mirs heut zu
Mut, und bin sonst so gerne bei der Großmutter!« Darauf
ging es zum Bett, und zog die Vorhänge zurück: da lag die
Großmutter, und hatte die Haube tief ins Gesicht gesetzt,
und sah so wunderlich aus. »Ei, Großmutter, was hast du
für große Ohren!« »Daß ich dich besser hören kann.« »Ei,
Großmutter, was hast du für große Augen!« »Daß ich dich
besser sehen kann.« »Ei, Großmutter, was hast du für große Hände!« »Daß ich dich besser packen kann.« »Aber,
Großmutter, was hast du für ein entsetzlich großes Maul!«
»Daß ich dich besser fressen kann.« Und wie der Wolf das
gesagt hatte, sprang er aus dem Bette und auf das arme
Rotkäppchen, und verschlang es.

Wie der Wolf den fetten Bissen im Leibe hatte, legte er sich
wieder ins Bett, schlief ein, und fing an überlaut zu schnarchen. Der Jäger ging eben vorbei, und dachte bei sich »wie
kann die alte Frau so schnarchen, du mußt einmal nachsehen ob ihr etwas fehlt«. Da trat er in die Stube, und wie er
vor das Bett kam, so lag der Wolf darin, den er lange gesucht hatte. Nun wollte er seine Büchse anlegen, da fiel ihm
ein »vielleicht hat er die Großmutter gefressen, und ich
kann sie noch retten«, und schoß nicht, sondern nahm eine
Schere, und schnitt dem schlafenden Wolf den Bauch auf.
Wie er ein paar Schnitte getan, da sah er das rote Käppchen
leuchten, und wie er noch ein wenig geschniten, da sprang

Bettvorhänge
am sog. Him-
melbett

das Mädchen heraus, und rief »ach, wie war ich erschrokken, was wars so dunkel in dem Wolf seinem Leib!« Und dann kam die alte Großmutter auch lebendig heraus. Rotkäppchen aber holte große schwere Steine, damit füllten sie dem Wolf den Leib, und wie er aufwachte, wollte er fortspringen, aber die Steine waren so schwer, daß er gleich niedersank und sich tot fiel.

Da waren alle drei vergnügt; der Jäger nahm den Pelz vom Wolf, die Großmutter aß den Kuchen und trank den Wein den Rotkäppchen gebracht hatte, und Rotkäppchen dachte bei sich »du willst dein Lebtag nicht wieder allein vom Wege ab in den Wald laufen, wenn dirs die Mutter verboten hat«.

Es wird auch erzählt, daß einmal, als Rotkäppchen der alten Großmutter wieder Gebackenes brachte, ein anderer Wolf ihm zugesprochen, und es vom Wege habe ableiten wollen. Rotkäppchen aber hütete sich, und ging gerade fort seines Wegs, und sagte der Großmutter daß es dem Wolf begegnet wäre, der ihm guten Tag gewünscht, aber so bös aus den Augen geguckt habe: »wenns nicht auf offner Straße gewesen wäre, er hätte mich gefressen«. »Komm«, sagte die Großmutter, »wir wollen die Türe verschließen, daß er nicht herein kann.« Bald darnach klopfte der Wolf an, und rief »mach auf, Großmutter, ich bin das Rotkäppchen, ich bring dir Gebackenes«. Sie schwiegen aber still, und machten die Türe nicht auf, da ging der Böse etlichemal um das Haus, und sprang endlich aufs Dach, und wollte warten bis Rotkäppchen Abends nach Hause ginge, dann wollt er ihm nachschleichen, und wollts in der Dunkelheit fressen. Aber die Großmutter merkte was er im Sinn hatte. Nun stand vor dem Haus ein großer Steintrog; da sprach sie zu dem Kind »nimm den Eimer, Rotkäppchen, gestern hab ich Würste gekocht, da trag das Wasser, worin sie gekocht sind, in den Trog«. Rotkäppchen trug so lange,

bis der große große Trog ganz voll war. Da stieg der Geruch
von den Würsten dem Wolf in die Nase, er schnupperte und
guckte hinab, endlich machte er den Hals so lang, daß er
sich nicht mehr halten konnte, und anfing zu rutschen: so
rutschte er vom Dach herab, und gerade in den großen
Trog hinein, und ertrank. Rotkäppchen aber ging fröhlich
nach Haus, und tat ihm niemand etwas zu leid.

9.
Der Teufel mit den drei goldenen Haaren

Es war einmal eine arme Frau, die gebar ein Söhnlein, und
weil es eine ⌜Glückshaut⌝* um hatte, als es zur Welt kam, so
war ihm geweissagt es würde im vierzehnten Jahr die Tochter des Königs zur Frau haben. Es trug sich zu, daß der
König bald darauf ins Dorf kam, und niemand wußte daß
es der König war, und als er die Leute fragte was es neues
gäbe, so antworteten sie »es ist eben ein Kind mit einer
Glückshaut geboren, was so einer unternimmt das schlägt
ihm zum Glück aus, es ist ihm auch voraus gesagt, in seinem vierzehnten Jahre solle er die Tochter des Königs zur
Frau haben«. Dem Könige gefiel das schlecht, er ging zu
den Eltern, und sagte »ihr armen Leute, überlaßt mir euer
Kind, ich will euch viel dafür geben«. Anfangs weigerten
sie sich, da aber der fremde Mann schweres Gold dafür
bot, und sie dachten es ist ein Glückskind, es muß ihm doch
zum Guten ausschlagen, so willigten sie endlich ein, und
gaben ihm das Kind.
⌜Der König legte es in eine Schachtel, und ritt damit weiter
bis er zu einem tiefen Wasser kam, da warf er die Schachtel
hinein⌝, und dachte von dem unerwarteten Freier habe er
seiner Tochter geholfen*. Die Schachtel aber schwamm wie

Teil der Embryonal-haut, die am Kopf des Neu-geborenen hängen bleibt (pileus natura-lis); wird be-schönigend als glückverhei-ßend gedeutet

vor diesem Bräutigam be-wahrt

ein Schiffchen, und durch Gottes Gnade geschah es daß kein Tröpfchen Wasser hinein kam. Sie schwamm bis zwei Meilen von des Königs Hauptstadt, wo eine Mühle war, an dessen Wehr* sie hängen bleib. Ein Mahlbursche, der sie bemerkte, zog sie mit einem großen Haken heran, und dachte es lägen große Schätze darin, als er sie aufmachte lag ein kleiner schöner Knabe darin, der ganz frisch und munter war. Er brachte ihn zu den Müllersleuten, und weil diese keine Kinder hatten, freuten sie sich darüber, und sprachen »Gott hat es uns beschert«. ⌈Sie pflegten den Fündling* wohl, und zogen ihn in allen Tugenden groß.

Es trug sich zu, als der Junge herangewachsen war, daß der König einmal bei einem Gewitter in die Mühle trat und die Müllersleute fragte ob das ihr Sohn wäre. »Nein«, antworteten sie »es ist ein Fündling, er ist vor vierzehn Jahren in einer Schachtel ans Wehr geschwommen, und der Mahlbursche hat ihn aus dem Wasser gezogen.«⌉ Da merkte der König daß es das Glückskind war, das er ins Wasser geworfen hatte, und sprach »mein*, ihr guten Leute, könnte der Junge nicht einen Brief an die Frau Königin bringen, ich will ihm zwei Goldstücke zum Lohn geben?« »Wie der Herr König gebietet« antworteten die Leute, und hießen den Jungen sich bereit halten. ⌈Da schrieb der König einen Brief an die Königin, worin stand »sobald der Knabe mit diesem Schreiben angelangt ist, soll er getötet und begraben werden, und das alles soll geschehen sein ehe ich ankomme«.⌉

Der Knabe machte sich mit diesem Briefe auf den Weg, verirrte sich aber, und kam Abends in einen großen Wald. In der Dunkelheit sah er ein kleines Licht, ging darauf zu und gelangte zu einem Häuschen. Als er hinein trat, saß eine alte Frau beim Feuer ganz allein: sie erschrak als sie den Knaben erblickte, und sprach »wo kommst du her und wo willst du hin« »Ich komme von der Mühle«, antwortete er, »und will zur Frau Königin, der ich einen Brief bringen

Befestigung gegen das Wasser

Findelkind

hessisch: Ausruf der Verwunderung

Der Teufel mit den drei goldenen Haaren

soll, weil ich mich aber in dem Walde verirrt habe, so wollte ich hier gerne übernachten.« »Du armer Junge«, sprach die Frau, »du bist in ein Räuberhaus geraten, wenn sie heim kommen, so bringen sie dich um.« »Mag kommen wer
5 will«, sagte der Junge, »ich fürchte mich nicht, ich bin aber so müde, daß ich nicht weiter kann«, streckte sich auf eine Bank und ⌐schlief ein⌐. Bald hernach kamen die Räuber, und fragten was das für ein fremder Knabe wäre. »Ach«, sagte die Alte, »es ist ein unschuldiges Kind, es hat sich im
10 Walde verirrt, und ich habe ihn aus Barmherzigkeit aufge-nommen: er soll einen Brief an die Frau Königin bringen.« Die Räuber erbrachen den Brief und lasen ihn, und es stand darin daß der Knabe sogleich wie er ankäme sollte ums Leben gebracht werden. Da hatten sie Mitleid mit dem ar-
15 men Knaben, und der Anführer zerriß den Brief, und schrieb einen andern, und es stand darin so wie der Knabe ankäme sollte er sogleich mit der Königstochter vermählt werden. Sie ließen den Knaben ruhig bis zum andern Mor-gen auf der Bank liegen, und als er aufgewacht war, gaben
20 sie ihm den Brief, und zeigten ihm den rechten Weg. Die Königin aber, als sie den Brief empfangen und gelesen hat-te, tat wie darin stand, hieß ein prächtiges Hochzeitsfest anstellen, und die Königstochter ward mit dem Glückskind vermählt, und da der Jüngling schön und freundlich war,
25 so lebte sie vergnügt und zufrieden mit ihm.
Nach einiger Zeit kam der König wieder in sein Schloß, und sah daß die Weissagung erfüllt und das Glückskind mit seiner Tochter vermählt war. »Wie ist das zugegangen?« sprach er, »ich habe in meinem Brief einen ganz andern
30 Befehl erteilt.« Da reichte ihm die Königin den Brief, und sagte er möchte selbst sehen was darin stände. Der König las den Brief, und sah wohl daß er mit einem andern war vertauscht worden. Er fragte den Jüngling wie es mit dem anvertrauten Briefe zugegangen wäre, warum er einen an-
35 dern dafür gebracht hätte. »Ich weiß von nichts«, ant-

wortete er, »er muß mir in der Nacht vertauscht sein, als ich im Walde geschlafen habe.« Voll Zorn sprach der König »so leicht soll es dir nicht werden, wer meine Tochter haben will, der muß mir aus der Hölle drei goldene Haare von dem Haupte des Teufels holen; bringst du mir was ich verlange, so sollst du meine Tochter behalten«. Damit dachte der König ihn auf immer los zu sein. Das Glückskind aber antwortete »die goldenen Haare will ich wohl holen, ich fürchte mich vor dem Teufel nicht«. Darauf nahm er Abschied, und begann seine Wanderschaft.

Der Weg führte ihn zu einer großen Stadt, wo ihn der handwerkliche Kunst Wächter an dem Tore ausfragte was für ein Gewerb* er verstehe und was er wisse. »Ich weiß alles«, antwortete das Glückskind. »So kannst du uns einen Gefallen tun« sagte der Wächter, »wenn du uns sagst, warum aus unserm Marktbrunnen, aus dem sonst Wein quoll, nicht einmal mehr Wasser quillt.« »Das sollt ihr erfahren«, antwortete er, »wartet nur bis ich wiederkomme.« Da ging er weiter und kam vor eine andere Stadt, da fragte der Torwächter wiederum was für ein Gewerb er verstehe und was er wisse. »Ich weiß alles« antwortete er. »So kannst du uns einen Gefallen tun, und uns sagen warum ein Baum in unserer Stadt, der sonst goldene Äpfel trug, jetzt nicht einmal Blätter hervor treibt.« »Das sollt ihr erfahren«, antwortete er, »wartet nur bis ich wiederkomme.« Da ging er weiter, und kam an ein großes Wasser, über das er hinüber mußte. Der Fährmann fragte ihn was er für ein Gewerb verstehe und was er wisse? »Ich weiß alles«, antwortete er. »So kannst du mir einen Gefallen tun«, sprach der Fährmann, »und mir sagen warum ich immer hin und her fahren muß, und niemals abgelöst werde?« »Das sollst du erfahren«, antwortete er, »warte nur bis ich wiederkomme.«

Als er über das Wasser hinüber war, so fand er den Eingang hessisch: Großmutter (Eltermutter) zur Hölle. Es war schwarz und rußig darin, und der Teufel war nicht zu Haus, aber seine Ellermutter* saß da in einem

54   Der Teufel mit den drei goldenen Haaren

breiten Sorgenstuhl*. »Was willst du?« sprach sie zu ihm, bequemer
Stuhl mit
Rücken- und
Armlehnen
sah aber gar nicht so böse aus. »Ich wollte gerne drei gold-
ne ⌜Haare⌝ von des Teufels Kopf«, antwortete er, »sonst
kann ich meine Frau nicht behalten.« »Das ist viel ver-
5 langt«, sagte sie, »wenn der Teufel heim kommt und findet
dich, so geht dirs an den Kragen; aber du dauerst mich, ich
will sehen ob ich dir helfen kann.« Sie verwandelte ihn in
eine Ameise, und sprach »kriech in meine Rockfalten, da
bist du sicher«. »Ja«, antwortete er, »das ist schon gut,
10 aber drei Dinge möchte ich gerne noch wissen, warum aus
einem Brunnen, aus dem sonst Wein quoll, jetzt nicht einmal Wasser quillt, warum ein Baum, der sonst goldne Äpfel
trug, nicht einmal mehr Laub treibt, und warum ein Fährmann immer fahren muß und nicht abgelöst wird.« »Das
15 sind schwere Fragen«, antwortete sie, »aber halte dich nur
still und ruhig, und hab acht was der Teufel spricht, wann
ich ihm die drei goldnen Haare ausziehe.«
⌜Als der Abend einbrach, kam der Teufel nach Haus. Kaum
war er eingetreten, so merkte er daß die Luft nicht rein war.
20 »Ich rieche, rieche Menschenfleisch«, sagte er, »es ist hier
nicht richtig.« Dann guckte er in alle Ecken, und suchte,
konnte aber nichts finden. Die Ellermutter schalt ihn aus,
und sprach »eben ist erst gekehrt und alles in Ordnung
gebracht, nun wirfst du es wieder untereinander; immer
25 hast du Menschenfleisch in der Nase! Setz dich nieder und
iß dein Abendbrot«.⌝ Als er gegessen und getrunken hatte,
war er müde, legte der Ellermutter seinen Kopf in den
Schoß, und sagte sie sollte ihn ein wenig ⌜lausen⌝. Es dauer-
te nicht lange, so schlummerte er ein, blies* und schnarch- blies den Atem
aus beiden Ba-
cken
30 te. Da faßte die Alte ein goldenes Haar, riß es aus, und legte
es neben sich. »Autsch!« schrie der Teufel, »was hast du
vor?« »Ich habe einen schweren Traum gehabt«, antwortete die Ellermutter, »da habe ich dir in die Haare gefaßt.« »Was hat dir denn geträumt?« fragte der Teufel.
35 »Mir hat geträumt ein Marktbrunnen, aus dem sonst Wein

quoll, sei versiegt, und es habe nicht einmal Wasser daraus
quellen wollen, was ist wohl Schuld daran?« »Ha, wenn
sies wüßten!« antwortete der Teufel, »es sitzt eine Kröte
unter einem Stein im Brunnen, wenn sie die töten, so wird
der Wein schon wieder anfangen zu fließen.« Die Eller- 5
mutter lauste ihn wieder, bis er einschlief und schnarchte
daß die Fenster zitterten. Da riß sie ihm das zweite Haar
aus. »Hu! was machst du?« schrie der Teufel zornig.
»Nimms nicht übel«, antwortete sie, »ich habe es im
Traum getan.« »Was hat dir wieder geträumt?« fragte er. 10
»Mir hat geträumt in einem Königreiche ständ ein Obst-
baum, der hätte sonst goldene Äpfel getragen, und wollte
jetzt nicht einmal Laub treiben. Was war wohl die Ursache
davon?« »He, wenn sies wüßten!« antwortete der Teufel,
»an der Wurzel nagt eine Maus, wenn sie die töten, so wird 15
er schon wieder goldene Äpfel tragen, nagt sie aber noch
länger, so verdorrt der Baum gänzlich. Aber laß mich mit
deinen Träumen in Ruhe, wenn du mich noch einmal im
Schlafe störst, so kriegst du eine Ohrfeige.« Die Ellermutter sprach ihm gut zu, und lauste ihn wieder bis er einge- 20
schlafen war und schnarchte. Da faßte sie das dritte goldene Haar und riß es ihm aus. Der Teufel fuhr in die Höhe,
und wollte übel mit ihr wirtschaften*, aber sie besänftigte
ihn nochmals, und sprach, »wer kann für böse Träume!«
»Was hat dir denn geträumt«, fragte er, und war doch neu- 25
gierig. »Mir hat von einem Fährmann geträumt, der sich
beklagte daß er immer hin und her fahren müsse und nicht
abgelöst werde. Was ist wohl Schuld?« »He, der Dummbart*!« antwortete der Teufel, »wenn einer kommt und
will überfahren, so muß er ihm die Stange in die Hand 30
geben, dann muß der andere überfahren, und er ist frei.«
Da die Ellermutter ihm die drei goldnen Haare ausgerissen
hatte und die drei Fragen beantwortet waren, so ließ sie
den Teufel in Ruhe, und er schlief bis der Tag anbrach.
Als der Teufel wieder fortgezogen war, holte die Alte die 35

Ameise aus der Rockfalte, und gabe dem Glückskind die menschliche Gestalt zurück. »Da hast du die drei goldenen Haare«, sprach sie, »was der Teufel zu deinen drei Fragen gesagt hat, wirst du wohl gehört haben.« »Ja«, antwortete er, »ich habe es gehört, und wills auch wohl behalten.« »So ist dir geholfen«, sagte sie, »und nun kannst du deiner Wege ziehen.« Er bedankte sich bei der Alten für die Hilfe in der Not, verließ die Hölle, und war vergnügt daß ihm alles so wohl geglückt war. Als er zu dem Fährmann kam, sollte er ihm die versprochene Antwort geben. »Fahr mich erst hinüber«, sprach das Glückskind, »so will ich dir sagen wie du erlöst wirst«, und als er auf dem jenseitigen Ufer angelangt war, gab er ihm des Teufels Rat, »wenn wieder einer kommt, und will übergefahren sein, so gib ihm die Stange in die Hand.« Er ging weiter, und kam zu der Stadt, worin der unfruchtbare Baum stand, und wo der Wächter auch Antwort haben wollte. Da sagte er ihm, wie er vom Teufel gehört hatte, »tötet die Maus, die an seiner Wurzel nagt, so wird er wieder goldne Äpfel tragen«. Da dankte ihm der Wächter, und gab ihm zur Belohnung zwei mit Gold beladene Esel, die mußten ihm nachfolgen. Zuletzt kam er zu der Stadt, deren Brunnen versiegt war. Da sprach er zu dem Wächter, wie der Teufel gesprochen hatte, »es sitzt eine Kröte im Brunnen unter einem Stein, die müßt ihr aufsuchen und töten, so wird er wieder reichlich Wein geben«. Der Wächter dankte ihm, und gab ihm ebenfalls zwei mit Gold beladene Esel.

Endlich langte das Glückskind daheim bei seiner Frau an, die sich herzlich freute als sie ihn wiedersah, und hörte wie wohl ihm alles gelungen war. Dem König brachte er was er verlangt hatte, die drei goldnen Haare des Teufels, und als dieser die vier Esel mit dem Golde sah, ward er ganz vergnügt, und sprach »nun sind alle Bedingungen erfüllt, und du kannst meine Tochter behalten. Aber, lieber Schwiegersohn, sag mir doch woher ist das viele Gold? das sind ja gewaltige Schätze!« Ich bin über einen Fluß gefahren«, antwortete er, »und da habe ich es mitgenommen, es liegt dort wie der Sand am Ufer.« »Kann ich mir auch davon holen?« sprach der König und war ganz begierig. »So viel ihr nur wollt«, antwortete er, »es ist ein Fährmann auf dem Fluß, von dem laßt euch überfahren, so könnt ihr drüben eure Säcke füllen.« Der alte König machte sich in aller Eile auf den Weg, und als er zu dem Fluß kam, so winkte er dem Fährmann, der sollte ihn übersetzen. Der Fährmann kam und hieß ihn einsteigen, und als sie ⌐an das jenseitige Ufer kamen, gab er dem Könige die Ruderstange in die Hand, und sprang davon⌐. Der Alte aber mußte von nun an fahren zur Strafe für seine Sünden.

»Fährt er wohl noch?« »Was dann? es wird ihm niemand die Stange abgenommen haben.«

10.

Dornröschen

Vor Zeiten war ein König und eine Königin, die sprachen jeden Tag, »ach, wenn wir doch ein Kind hätten!« und kriegten immer keins. Da trug sich zu, als die Königin ⌐einmal im Bade saß, daß ein Frosch aus dem Wasser ans Land kroch⌐, und zu ihr sprach, »dein Wunsch wird erfüllt werden, und du wirst eine Tochter zur Welt bringen«. Was der Frosch vorausgesagt hatte, das geschah, und die Königin gebar ein Mädchen, das war so schön, daß der König vor Freude sich nicht zu lassen wußte, und ein großes Fest anstellte. Er ladete nicht bloß seine Verwandte, Freunde und Bekannte, sondern auch die weisen Frauen* dazu ein, damit sie dem Kind hold* und gewogen würden. ⌐Es waren ihrer dreizehn in seinem Reiche, weil er aber nur zwölf

zauberkundige Feen

wohlgesinnt

goldene Teller hatte, von welchen sie essen sollten, konnte er eine nicht einladen.⌉ Die geladen waren kamen, und als das Fest vorbei war, beschenkten sie das Kind mit ihren Wundergaben: die eine mit Tugend, die andere mit Schönheit, die dritte mit Reichtum, und so mit allem, was Herrliches auf der Welt ist. Als elfe ihre Wünsche eben getan hatten, kam die dreizehnte herein, die nicht eingeladen war, und sich dafür rächen wollte. Sie rief »die Königstochter soll sich in ihrem funfzehnten Jahr an einer Spindel stechen, und tot hinfallen«. Da trat die zwölfte hervor, die noch einen Wunsch übrig hatte: zwar konnte sie den bösen Ausspruch nicht aufheben, aber sie konnte ihn doch mildern, und sprach »es soll aber kein Tod sein, sondern ein hundertjähriger tiefer Schlaf, in welchen die Königstochter fällt«.

Der König, der sein liebes Kind vor dem Unglück gerne bewahren wollte, ließ den Befehl ausgehen, daß alle Spindeln im ganzen Königreiche sollten ⌈abgeschafft⌉ werden. An dem Mädchen aber wurden die Gaben der weisen Frauen sämtlich erfüllt, denn es war so schön, sittsam, freundlich und verständig, daß es jedermann, der es ansah, lieb haben mußte. ⌈Es geschah, daß an dem Tage, wo es gerade funfzehn Jahr alt ward, der König und die Königin nicht zu Haus waren, und das Mädchen ganz allein im Schloß zurückblieb.⌉ Da ging es aller Orten herum, besah Stuben und Kammern, wie es Lust hatte, und kam endlich auch an einen alten Turm. Es stieg eine enge Treppe hinauf, und gelangte zu einer kleinen Türe. In dem Schloß steckte ein verrosteter Schlüssel, und als es umdrehte, sprang die Türe auf, und saß da in einem kleinen Stübchen eine alte Frau, und spann emsig ihren Flachs*. »Ei du altes Mütterchen«, sprach die Königstochter, »was machst du da?« »Ich spinne«, sagte die Alte, und nickte mit dem Kopf. »Wie das Ding so lustig herumspringt!« sprach das Mädchen, nahm die Spindel, und wollte auch spinnen. Kaum

Pflanzenart, aus der Leinen gewonnen wird

hatte sie aber die Spindel angerührt, so ging der Zauberspruch in Erfüllung, und sie stach sich damit.

In dem Augenblicke aber, wo sie den Stich empfand, fiel sie auch nieder in einen tiefen Schlaf. ⌜Und der König und die Königin, die eben zurückgekommen waren, fingen an mit dem ganzen Hofstaat einzuschlafen. Da schliefen auch die Pferde im Stall ein, die Hunde im Hofe, die Tauben auf dem Dache, die Fliegen an der Wand, ja, das Feuer, das auf dem Herde flackerte, ward still und schlief ein, und der Braten hörte auf zu brutzeln, und der Koch, der den Küchenjungen, weil er etwas versehen* hatte, in den Haaren ziehen wollte, ließ ihn los und schlief, und alles was lebendigen Othem* hatte, ward still und schlief.⌝

Rings um das Schloß aber begann eine Dornenhecke zu wachsen, die jedes Jahr höher ward, und endlich das ganze Schloß umzog, und drüber hinaus wuchs, daß gar nichts mehr, selbst nicht die Fahnen* auf den Dächern, zu sehen war. Es ging aber die Sage in dem Land von dem schönen schlafenden ⌜Dornröschen⌝, denn so wurde die Königstochter genannt, also daß von Zeit zu Zeit Königssöhne kamen, und durch die Hecke in das Schloß dringen wollten. Es war ihnen aber nicht möglich, denn die Äste hielten sich, als hätten sie Hände, zusammen, und die Jünglinge blieben in den Dornen hängen, und starben jämmerlich. Nach langen langen Jahren kam wieder ein Königssohn durch das Land, dem erzählte ein alter Mann von der Dornhecke, es sollte ein Schloß dahinter stehen, in welchem eine wunderschöne Königstochter, Dornröschen genannt, schliefe, und mit ihr schliefe der ganze Hofstaat. Er erzählte auch daß er von seinem Großvater gehört wie viele Königssöhne schon versucht hätten durch die Dornenhekke zu dringen, aber darin hängen geblieben, und eines traurigen Todes gestorben wären. Da sprach der Jüngling »das soll mich nicht abschrecken, ich will hindurch, und das schöne Dornröschen sehen«. Der Alte mochte ihm abraten, wie er wollte, er hörte gar nicht darauf.

Nun waren aber gerade an dem Tag, wo der Königssohn kam, die hundert Jahre verflossen. Und als er sich der Dornenhecke näherte, waren es lauter große schöne Blumen, die taten sich von selbst auseinander, daß er unbeschädigt hindurch ging: und hinter ihm taten sie sich wieder als eine Hecke zusammen. Er kam ins Schloß, da lagen im Hof die Pferde und scheckigen Jagdhunde und schliefen, auf dem Dache saßen die Tauben, und hatten das Köpfchen unter den Flügel gesteckt. Und als er ins Haus kam, schliefen die Fliegen an der Wand, der Koch in der Küche hielt noch die Hand, als wollte er den Jungen anpacken, und die Magd saß vor dem schwarzen Huhn, das sollte gerupft werden. Da ging er weiter, und sah im Saale den ganzen Hofstaat liegen und schlafen, und oben bei dem Throne lag der König und die Königin. Da ging er noch weiter, und alles war so still, daß einer seinen Atem hören konnte, und endlich kam er zu dem Turm, und öffnete die Türe zu der kleinen Stube, in welcher Dornröschen schlief. Da lag es und war so schön, daß er die Augen nicht abwenden konnte, und er bückte sich, und gab ihm einen Kuß. Wie er es mit dem Kuß berührt hatte, schlug Dornröschen die Augen auf, erwachte, und blickte ihn ganz freundlich an. Da gingen sie zusammen herab, und der König erwachte und die Königin, und der ganze Hofstaat, und sahen einander mit großen Augen an. Und die Pferde im Hof standen auf und rüttelten sich; die Jagdhunde sprangen und wedelten; die Tauben auf dem Dach zogen das Köpfchen unterm Flügel hervor, sahen umher, und flogen ins Feld; die Fliegen an den Wänden krochen weiter; das Feuer in der Küche erhob sich, flakkerte, und kochte das Essen; und der Braten brutzelte fort; und der Koch gab dem Jungen eine Ohrfeige, daß er schrie; und die Magd rupfte das Huhn fertig. Und da wurde die Hochzeit des Königssohns mit dem Dornröschen in aller Pracht gefeiert, und sie lebten vergnügt bis an ihr Ende.

11.
Sneewittchen

Es war einmal mitten im Winter, und die Schneeflocken
fielen ⌜wie Federn⌝ vom Himmel herab, da saß eine Königin
an einem Fenster, das einen Rahmen von schwarzem Ebenholz hatte, und nähte. Und wie sie so nähte und nach dem
Schnee aufblickte, stach sie sich mit der Nadel in den Finger, und es fielen drei Tropfen Blut in den Schnee. Und weil
das Rote im weißen Schnee so schön aussah, dachte sie bei
sich ⌜»hätt ich ein Kind so weiß wie Schnee, so rot wie Blut,
und so schwarz wie der Rahmen«⌝. Bald darauf bekam sie
ein Töchterlein, das war so weiß wie Schnee, so rot wie
Blut, und so schwarzhaarig wie Ebenholz, und wurde darum das ⌜Sneewittchen⌝ (Schneeweißchen) genannt. Und
wie das Kind geboren war, starb die Königin.
Über ein Jahr nahm sich der König eine andere Gemahlin.
Es war eine schöne Frau, aber sie war stolz und übermütig,
und konnte nicht leiden daß sie an Schönheit von jemand
sollte übertroffen werden. Sie hatte einen wunderbaren
Spiegel, wenn sie vor den trat und sich darin beschaute,
sprach sie
      ⌜»Spieglein, Spieglein an der Wand,
      wer ist die schönste im ganzen Land?«⌝
so antwortete der Spiegel
      »Frau Königin, ihr seid die schönste im Land«.
Da war sie zufrieden, denn sie wußte daß der Spiegel die
Wahrheit sagte.
Sneewittchen aber wuchs heran, und wurde immer schöner, und als es sieben Jahr alt war, war es so schön, wie der
klare Tag, und schöner als die Königin selbst. Als diese
einmal ihren Spiegel fragte
      »Spieglein, Spieglein an der Wand,
      wer ist die schönste im ganzen Land?«

so antwortete er

»Frau Königin, ihr seid die schönste hier,
aber Sneewittchen ist tausendmal schöner als ihr«.

Da erschrak die Königin und ward ⌐gelb und grün vor
Neid⌐. Von Stund an, wenn sie Sneewittchen erblickte,
kehrte sich ihr das Herz im Leibe herum, so haßte sie das
Mädchen. Und der Neid und Hochmut wuchsen, und wurden so groß in ihr, daß sie Tag und Nacht keine Ruhe mehr
hatte. Da rief sie einen Jäger, und sprach »bring das Kind
hinaus in den Wald, ich wills nicht mehr vor meinen Augen
sehen. Dort sollst dus töten, und mir Lunge und Leber zum
Wahrzeichen mitbringen.« Der Jäger gehorchte, und führte
es hinaus, und als er den Hirschfänger* gezogen hatte, und
Sneewittchens unschuldiges Herz durchbohren wollte, fing
es an zu weinen, und sprach ⌐»ach lieber Jäger, laß mir
mein Leben; ich will in den wilden Wald laufen, und nimmermehr wieder heim kommen«⌐. Und weil es so schön
war, hatte der Jäger Mitleiden, und sprach »so lauf hin, du
armes Kind«. »Die wilden Tiere werden dich bald gefressen haben« dachte er, und doch wars ihm als wär ein Stein
von seinem Herzen gewälzt, weil er es nicht zu töten
brauchte. Und weil gerade ein junger Frischling* daher gesprungen kam, stach er ihn ab, nahm Lunge und Leber
heraus, und brachte sie als Wahrzeichen der Königin mit.
⌐Der Koch mußte sie in Salz kochen, und das boshafte Weib
aß sie auf, und meinte sie hätte Sneewittchens Lunge und
Leber gegessen.⌐

Nun war das arme Kind in dem großen Wald mutterselig
allein*, und war ihm so angst, daß es alle Blätter an den
Bäumen ansah, und nicht wußte wie es sich helfen sollte.
Da fing es an zu laufen, und lief über die spitzen Steine und
durch die Dornen, und die wilden Tiere sprangen an ihm
vorbei, aber sie taten ihm nichts. Es lief so lange nur die
Füße noch fort konnten, bis es bald Abend werden wollte,
da sah es ein kleines Häuschen, und ging hinein sich zu

langes zwei-
schneidiges
Jagdmesser

junges Wild-
schwein

ganz,
mutterseelen-
allein; völlig
einsam

ruhen. In dem Häuschen war alles klein, aber so zierlich und reinlich, daß es nicht zu sagen ist. Da stand ein weiß gedecktes Tischlein mit sieben kleinen Tellern, jedes Tellerlein mit seinem Löffelein, ferner sieben Messerlein und Gäblein, und sieben Becherlein. An der Wand waren sieben Bettlein neben einander aufgestellt, und schneeweiße Laken darüber gedeckt. Sneewittchen, weil es so hungrig und durstig war, aß von jedem Tellerlein ein wenig Gemüs und Brot, und trank aus jedem Becherlein einen Tropfen Wein; denn es wollte nicht einem allein alles wegnehmen. Hernach, weil es so müde war, legte es sich in ein Bettchen, aber keins paßte; das eine war zu lang, das andere zu kurz, bis endlich das siebente recht war, und darin blieb es liegen, befahl sich Gott, und schlief ein.

Als es nun ganz dunkel war, kamen die Herren von dem Häuslein, das waren sieben Zwerge, die in den Bergen nach Erz hackten und gruben. Sie zündeten ihre sieben Lichtlein an, und wie es nun hell im Häuslein ward, sahen sie daß jemand darin gewesen war, denn es stand nicht alles so in der Ordnung wie sie es verlassen hatten. Der erste sprach »wer hat auf meinem Stühlchen gesessen?« Der zweite »wer hat von meinem Tellerchen gegessen?« Der dritte »wer hat von meinem Brötchen genommen?« Der vierte »wer hat von meinem Gemüschen gegessen?« Der fünfte »wer hat mit meinem Gäbelchen gestochen?« Der sechste »wer hat mit meinem Messerchen geschnitten?« Der siebente »wer hat aus meinem Becherlein getrunken?« Dann sah sich der erste um, und sah daß auf seinem Bett eine kleine Delle* war, da sprach er »wer hat in mein Bettchen getreten?« Die andern kamen gelaufen, und riefen »in meinem hat auch jemand gelegen«. Der siebente aber, als der in sein Bett sah, erblickte Sneewittchen, das lag darin und schlief. Nun rief er die andern, die kamen herbeigelaufen, und schrien vor Verwunderung, holten ihre sieben Lichtlein, und beleuchteten Sneewittchen. »Ei, du mein Gott! ei,

Vertiefung

du mein Gott!« riefen sie, »was ist das Kind schön!« und hatten so große Freude, daß sie es nicht aufweckten, sondern im Bettlein fortschlafen ließen. Der siebente Zwerg aber schlief bei seinen Gesellen, bei jedem eine Stunde, da war die Nacht herum.

Als es Morgen war, erwachte Sneewittchen, und wie es die sieben Zwerge sah, erschrak es. Sie waren aber freundlich und fragten »wie heißt du?« »Ich heiße Sneewittchen« antwortete es. »Wie bist du in unser Haus gekommen?« sprachen weiter die Zwerge. Da erzählte es ihnen daß seine Stiefmutter es hätte wollen umbringen lassen, der Jäger hätte ihm aber das Leben geschenkt, und da wäre es gelaufen den ganzen Tag, bis es endlich ihr Häuslein gefunden. Die Zwerge sprachen »willst du unsern Haushalt versehen, kochen, betten, waschen, nähen und stricken, und willst du alles ordentlich und reinlich halten, so kannst du bei uns bleiben, und es soll dir an nichts fehlen«. Das versprach Sneewittchen, und blieb bei ihnen. Es hielt ordentlich Haus: Morgens gingen sie in die Berge, und suchten Erz und Gold, Abends kamen sie wieder, und da mußte ihr Essen bereit sein. Den Tag über war das Mädchen allein, da warnten es die guten Zwerglein und sprachen »hüte dich vor deiner Stiefmutter, die wird bald wissen daß du hier bist; laß ja niemand herein«.

Die Königin aber, nachdem sie Sneewittchens Lunge und Leber glaubte gegessen zu haben, dachte nicht anders als wieder die erste und allerschönste zu sein, und trat vor ihren Spiegel, und sprach

> »Spieglein, Spieglein an der Wand,
> wer ist die schönste im ganzen Land?«

Da antwortete der Spiegel

> »Frau Königin, ihr seid die schönste hier,
> aber Sneewittchen über den Bergen
> bei den sieben Zwergen
> ist noch tausendmal schöner als ihr«.

Da erschrak sie, denn sie wußte, daß der Spiegel keine Unwahrheit sprach, und merkte daß der Jäger sie betrogen hatte, und Sneewittchen noch am Leben war. Und da sann und sann sie aufs neue, wie sie es umbringen wollte; denn so lange sie nicht die schönste war im ganzen Land, ließ ihr der Neid keine Ruhe. Und als sie sich endlich etwas ausgedacht hatte, färbte sie sich das Gesicht, und kleidete sich wie eine alte Krämerin, und war ganz unkenntlich. In dieser Gestalt ging sie über die sieben Berge zu den sieben Zwergen, klopfte an die Türe, und rief »schöne Ware feil!* feil!« Sneewittchen guckte zum Fenster heraus, und rief »guten Tag, liebe Frau, was habt ihr zu verkaufen?« »Gute Ware, schöne Ware« antwortete sie, »Schnürriemen von allen Farben«, dabei holte sie einen hervor, der aus bunter Seide geflochten war. »Die ehrliche Frau kann ich herein lassen« dachte Sneewittchen, riegelte die Türe auf, und kaufte sich den hübschen Schnürriemen. »Kind«, sprach die Alte, »wie du aussiehst! komm, ich will dich einmal ordentlich schnüren*.« Sneewittchen hatte kein Arg, stellte sich vor sie, und ließ sich mit dem neuen Schnürriemen schnüren; aber die Alte schnürte geschwind, und schnürte so fest, daß dem Sneewittchen der Atem verging, und es für tot hinfiel. »Nun bist du die schönste gewesen«, sprach sie, und eilte hinaus.

Nicht lange darauf, zur Abendzeit, kamen die sieben Zwerge nach Haus, aber wie erschraken sie, als sie ihr liebes Sneewittchen auf der Erde liegen fanden, und es regte und bewegte sich nicht, als wär es tot. Sie hoben es in die Höhe, und weil sie sahen daß es zu fest geschnürt war, schnitten sie den Schnürriemen entzwei: da fing es an ein wenig zu atmen, und ward nach und nach wieder lebendig. Als die Zwerge hörten was geschehen war, sprachen sie, »die alte Krämerfrau war niemand als die Königin, hüte dich, und laß keinen Menschen herein, wenn wir nicht bei dir sind«. Das böse Weib aber, als es nach Haus gekommen war, ging

verkäuflich, zum Verkauf angeboten

das Mieder mit Bändern festziehen

vor den Spiegel, und fragte
>>Spieglein, Spieglein an der Wand,
wer ist die schönste im ganzen Land?<<
Da antwortete er wie sonst
>>Frau Königin, ihr seid die schönste hier,
aber Sneewittchen über den Bergen
bei den sieben Zwergen
ist noch tausendmal schöner als ihr<<.

Als sie das hörte, lief ihr alles Blut zum Herzen, so erschrak sie, denn sie sah wohl daß Sneewittchen wieder lebendig geworden war. »Nun aber«, sprach sie, »will ich etwas aussinnen, das dich zu Grunde richten soll«, und mit Hexenkünsten, die sie verstand, machte sie einen giftigen Kamm. Dann verkleidete sie sich, und nahm die Gestalt eines andern alten Weibes an. So ging sie hin über die sieben Berge zu den sieben Zwergen, klopfte an die Türe, und rief »gute Ware feil!« Sneewittchen schaute heraus, und sprach »geht nur weiter, ich darf niemand hereinlassen«. »Das Ansehen wird dir doch erlaubt sein«, sprach die Alte, zog den giftigen Kamm heraus, und hielt ihn in die Höhe. Da gefiel er dem Kinde so gut, daß es sich betören ließ, und die Türe öffnete. Als es den Kamm erhandelt hatte, sprach die Alte »nun will ich dich einmal ordentlich kämmen«. Das arme Sneewittchen dachte an nichts, und ließ die Alte gewähren, aber kaum hatte sie den Kamm in die Haare gesteckt, als das Gift darin wirkte, und das Mädchen ohne Besinnung niederfiel. »Du Ausbund* von Schönheit, jetzt ists um dich geschehen« sprach das boshafte Weib, und ging fort. Zum Glück aber war es bald Abend, wo die sieben Zwerglein nach Haus kamen. Als sie Sneewittchen wie tot auf der Erde liegen sahen, hatten sie gleich die böse Stiefmutter in Verdacht, suchten nach, und fanden den giftigen Kamm, und wie sie ihn herausgezogen, kam Sneewittchen wieder zu sich, und erzählte ihnen was vorgegangen war. Da warnten sie es noch einmal auf seiner Hut zu sein, und niemand die Türe zu öffnen.

* das Beste (oft – wie auch hier – ironisch gebraucht; ursprünglich das schönste Stück, das ein Kaufmann außen an seine Waren bindet)

Die Königin stellte sich daheim vor den Spiegel, und sprach
»Spieglein, Spieglein an der Wand,
wer ist die schönste im ganzen Land?«
Da antwortete er, wie vorher
»Frau Königin, ihr seid die schönste hier,   5
aber Sneewittchen über den Bergen
bei den sieben Zwergen
ist noch tausendmal schöner als ihr«.
Als sie den Spiegel so reden hörte, zitterte und bebte sie vor
Zorn. »Sneewittchen soll sterben«, rief sie, »und wenn es   10
mein eigenes Leben kostet.« Darauf ging sie in eine ganz
verborgene einsame Kammer, wo niemand hinkam, und
machte da einen giftigen Apfel. Äußerlich sah er schön aus,
weiß mit roten Backen, daß jeder, der ihn erblickte, Lust
darnach bekam, aber wer ein Stückchen davon aß, der   15
mußte sterben. Als der Apfel fertig war, färbte sie sich das
Gesicht, und verkleidete sich in eine Bauersfrau, und so
ging sie über die sieben Berge zu den sieben Zwergen. Sie
klopfte an, Sneewittchen streckte den Kopf zum Fenster
heraus, und sprach »ich darf keinen Menschen einlassen,   20
die sieben Zwerge haben mirs verboten«. »Mir auch
recht«, anwortete die Bäurin, »meine Äpfel will ich schon
los werden. Da, einen will ich dir schenken.« »Nein«,
sprach Sneewittchen, »ich darf nichts annehmen.« »Fürchtest du dich vor Gift?« sprach die Alte. »Siehst du, da   25
schneide ich den Apfel in zwei Teile; den roten Backen iß
du, den weißen will ich essen.« Der Apfel war aber so
künstlich gemacht, daß der rote Backen allein vergiftet
war. Sneewittchen lusterte* den schönen Apfel an, und als
es sah daß die Bäurin davon aß, so konnte es nicht länger   30
widerstehen, streckte die Hand hinaus, und nahm die giftige Hälfte. Kaum aber hatte es einen Bissen davon im
Mund, so fiel es tot zur Erde nieder. Da betrachtete es die
Königin mit grausigen Blicken, und ⌈lachte überlaut⌉, und
sprach »weiß wie Schnee, rot wie Blut, schwarz wie Eben-   35

*war lüstern
auf, hatte Ver-
langen nach*

holz! diesmal können dich die Zwerge nicht wieder erwek-
ken«. Und als sie daheim den Spiegel befragte
    »Spieglein, Spieglein an der Wand,
    wer ist die schönste im ganzen Land?«
so antwortete er endlich
    »Frau Königin, ihr seid die schönste im Land«.
Da hatte ihr neidisches Herz Ruhe, so gut ein neidisches
Herz Ruhe haben kann.

Die Zwerglein, wie sie Abends nach Haus kamen, fanden
Sneewittchen auf der Erde liegen, und regte sich kein Atem
mehr, und es war tot. Sie hoben es auf, suchten ob sie was
Giftiges fänden, schnürten es auf, kämmten ihm die Haare,
wuschen es mit Wasser und Wein, aber es half alles nichts;
das liebe Kind war tot. Sie legten es auf eine Bahre, und
setzten sich alle siebene daran, und beweinten es, und
weinten drei Tage lang. Da wollten sie es begraben, aber es
sah noch so frisch aus, wie ein lebender Mensch, und hatte
noch seine schönen roten Backen. Sie sprachen »das können wir nicht in die schwarze Erde versenken«, und ließen
einen ⌈durchsichtigen Sarg von Glas⌉ machen, daß man es
von allen Seiten sehen konnte, legten es hinein, und schrieben mit goldenen Buchstaben seinen Namen darauf, und
daß es eine Königstochter wäre. Dann setzten sie den Sarg
hinaus auf den Berg, und einer von ihnen blieb immer dabei, und bewachte ihn. Und die Tiere kamen auch, und
beweinten Sneewittchen, erst eine Eule, dann ein Rabe, zuletzt ein Täubchen.

Nun lag Sneewittchen lange lange Zeit in dem Sarg, und
verweste nicht, sondern sah aus als wenn es schliefe, denn
es war noch so weiß als Schnee, so rot als Blut, und so
schwarzhaarig wie Ebenholz. Es geschah aber, daß ein Königssohn in den Wald geriet, und zu dem Zwergenhaus
kam, da zu übernachten. Er sah auf dem Berg den Sarg, und
das schöne Sneewittchen darin, und las was mit goldenen
Buchstaben darauf geschrieben war. Da sprach er zu den

Zwergen »laßt mir den Sarg, ich will euch geben, was ihr dafür haben wollt«. Aber die Zwerge antworteten »wir geben ihn nicht um alles Gold in der Welt«. Da sprach er »so schenkt mir ihn, denn ich kann nicht leben ohne Sneewittchen zu sehen, ich will es ehren und hochachten wie mein Liebstes«. Wie er so sprach, empfanden die guten Zwerglein Mitleiden mit ihm, und gaben ihm den Sarg. Der Königssohn ließ ihn nun von seinen Dienern auf den Schultern forttragen. Da geschah es, daß sie über einen Strauch stolperten, und von dem Schüttern* fuhr der giftige Apfelgrütz*, den Sneewittchen abgebissen hatte, aus dem Hals, und es ward wieder lebendig. Da richtete es sich auf und sprach »ach Gott, wo bin ich?« Der Königssohn sagte voll Freude »du bist bei mir«, und erzählte, was sich zugetragen hatte, und sprach »ich habe dich lieber, als alles auf der Welt; komm mit mir in meines Vaters Schloß, du sollst meine Gemahlin werden«. Da war ihm Sneewittchen gut, und ging mit ihm, und ihre Hochzeit ward mit großer Pracht und Herrlichkeit angeordnet.

Zu dem Fest war aber auch Sneewittchens gottlose Stiefmutter eingeladen. Wie sie sich nun mit schönen Kleidern angetan hatte, trat sie vor den Spiegel, und sprach

»Spieglein, Spieglein an der Wand,
wer ist die schönste im ganzen Land?«

Der Spiegel antwortete

»Frau Königin, ihr seid die schönste hier,
aber die junge Königin ist tausendmal schöner als ihr«.

Da stieß das böse Weib einen Fluch aus, und ward ihr so angst, so angst, daß sie sich nicht zu lassen wußte*. Sie wollte zuerst gar nicht auf die Hochzeit kommen: doch ließ es ihr keine Ruhe, sie mußte fort und die junge Königin sehen. Und wie sie hineintrat, erkannte sie Sneewittchen, und vor Angst und Schrecken stand sie da, und konnte sich nicht regen. Aber es waren schon eiserne Pantoffeln über Kohlenfeuer gestellt, und wurden glühend herein gebracht:

hessisch:
schwankende
Bewegungen

Apfelgriebs,
Kerngehäuse
des Apfels

sich nicht fassen, zurückhalten konnte

da mußte sie die feuerroten Schuhe anziehen, und darin
tanzen, daß ihr die Füße jämmerlich verbrannten: und sie
durfte nicht aufhören bis sie sich tot getanzt hatte.

12.
Rumpelstilzchen

Es war einmal ein ⌜Müller⌝, der war arm, aber er hatte eine
schöne Tochter. Nun traf es sich, daß er mit dem König zu
sprechen kam, und zu ihm sagte ⌜»ich habe eine Tochter,
die kann Stroh zu Gold spinnen«⌝. Dem König, der das
Gold lieb hatte, gefiel die Kunst gar wohl, und er befahl die
Müllerstochter sollte alsbald vor ihn gebracht werden.
Dann führte er sie in eine Kammer, die ganz voll Stroh war,
gab ihr Rad und Haspel*, und sprach »wenn du diese   Garnwinde
Nacht durch bis morgen früh dieses Stroh nicht zu Gold
versponnen hast, so mußt du sterben«. Darauf ward die
Kammer verschlossen, und ⌜sie blieb allein darin⌝.
⌜Da saß nun die arme Müllerstochter, und wußte um ihr
Leben keinen Rat, denn sie verstand gar nichts davon, wie
das Stroh zu Gold zu spinnen war, und ihre Angst ward
immer größer, daß sie endlich zu weinen anfing.⌝ Da ging
auf einmal die Türe auf, und trat ein kleines Männchen
herein und sprach »guten Abend, Jungfer Müllerin, warum
weint sie so sehr?« ⌜»Ach«, antwortete das Mädchen, »ich
soll Stroh zu Gold spinnen, und verstehe das nicht.«⌝
Sprach das Männchen »was gibst du mir, wenn ich dirs
spinne«? »Mein Halsband« sagte das Mädchen. Das
Männchen nahm das Halsband, setzte sich vor das Räd-
chen, und schnurr, schnurr, schnurr, dreimal gezogen, war
die Spule voll. Dann steckte es eine andere auf, und
schnurr, schnurr, schnurr, dreimal gezogen, war auch die

zweite voll: und so gings fort bis zum Morgen, da war alles Stroh versponnen, und alle Spulen waren voll Gold. Als der König kam und nachsah, da erstaunte er und freute sich, ⌐aber sein Herz wurde nur noch begieriger, und er ließ die Müllerstochter in eine andere Kammer voll Stroh bringen, die noch viel größer war, und befahl ihr das auch in einer Nacht zu spinnen, wenn ihr das Leben lieb wäre⌐. Das Mädchen wußte sich nicht zu helfen und weinte, da ging abermals die Türe auf, und das kleine Männchen kam und sprach »was gibst du mir wenn ich dir das Stroh zu Gold spinne?« »Meinen Ring von dem Finger« antwortete das Mädchen. Das Männchen nahm den Ring, und fing wieder an zu schnurren mit dem Rade, und hatte bis zum Morgen alles Stroh zu glänzendem Gold gesponnen. Der König freute sich über die Maßen bei dem Anblick, war aber noch immer nicht Goldes satt, sondern ließ die Müllerstochter in eine noch größere Kammer voll Stroh bringen und sprach »die mußt du noch in dieser Nacht verspinnen; wenn dir das gelingt, sollst du meine Gemahlin werden«. »Denn«, dachte er, »eine reichere Frau kannst du auf der Welt nicht haben.« Als das Mädchen allein war, kam das Männlein zum drittenmal wieder, und sprach »was gibst du mir, wenn ich dir noch diesmal das Stroh spinne?« »Ich habe nichts mehr, das ich geben könnte« antwortete das Mädchen. ⌐»So versprich mir, wann du Königin wirst, dein erstes Kind.«⌐ »Wer weiß wie das noch geht« dachte die Müllerstochter, und wußte sich auch in der Not nicht anders zu helfen, ⌐und versprach dem Männchen was es verlangte⌐; dafür spann das Männchen noch einmal das Stroh zu Gold. Und als am Morgen der König kam, und alles fand wie er gewünscht hatte, so hielt er Hochzeit mit ihr, und die schöne Müllerstochter ward eine Königin.

Über ein Jahr brachte sie ein schönes Kind zur Welt, und ⌐dachte gar nicht mehr⌐ an das Männchen, da trat es in ihre Kammer und sprach »nun gib mir, was du versprochen hast«. Die Königin erschrak, und bot dem Männchen alle Reichtümer des Königreichs an, wenn es ihr das Kind lassen wollte, aber das Männchen sprach »nein, etwas Lebendes ist mir lieber als alle Schätze der Welt«. Da fing die Königin so an zu jammern und zu weinen, daß das Männchen ⌜Mitleiden⌝ mit ihr hatte, und sprach »drei Tage will ich dir Zeit lassen, wenn du bis dahin meinen Namen weißt, so sollst du dein Kind behalten«.

Nun dachte die Königin die ganze Nacht über an alle Namen, die sie jemals gehört hatte, und schickte einen Boten über Land, der sollte sich erkundigen weit und breit nach neuen Namen. Als am andern Tag das Männchen kam, fing sie an mit ⌜Caspar, Melchior, Balzer*⌝, und sagte alle Namen, die sie wußte, nach der Reihe her, aber bei jedem sprach das Männlein »so heiß ich nicht«. Den zweiten Tag ließ sie herumfragen bei allen Leuten, und sagte dem Männlein die ungewöhnlichsten und seltsamsten vor, Rippenbiest, Hammelswade, Schnürbein, aber es blieb dabei »so heiß ich nicht«. Den dritten Tag kam der Bote wieder zurück, und erzählte »neue Namen habe ich keinen einzigen finden können, aber wie ich an einen hohen Berg um die Waldecke kam, wo Fuchs und Has sich gute Nacht sagen, so sah ich da ein kleines Haus, und vor dem Haus brannte ein Feuer, und um das Feuer sprang ein gar zu lächerliches Männchen, hüpfte auf einem Bein, und schrie

›heute back ich, morgen brau ich,

übermorgen hol ich der Königin ihr Kind;

ach, wie gut ist daß niemand weiß

daß ich ⌜Rumpelstilzchen⌝ heiß!‹«

Da war die Königin ganz froh daß sie den Namen wußte, und als bald hernach das Männlein kam, und sprach »nun, Frau Königin, wie heiß ich?« fragte sie erst ⌜»heißest du Cunz?« »Nein.« »Heißest du Heinz?«⌝ »Nein.«

»Heißt du etwa Rumpelstilzchen?«

»Das hat dir der Teufel gesagt, das hat dir der Teufel ge-

Balthasar, einer der Heiligen Drei Könige

sagt« schrie das Männlein, und stieß mit dem rechten Fuß
vor Zorn so tief in die Erde daß es bis an den Leib hinein-
fuhr, dann packte es in seiner Wut den linken Fuß mit beiden Händen, ⌐und riß sich selbst mitten entzwei⌐.

13.
Jorinde und Joringel

Es war einmal ein altes Schloß mitten in einem großen dik-
ken Wald, darinnen wohnte eine alte Frau ganz allein, das
war eine Erzzauberin*. Am Tage machte sie sich zur ⌐Katze⌐
oder zur Nachteule, des Abends aber wurde sie wieder ordentlich wie ein Mensch gestaltet. Sie konnte das Wild und
die Vögel herbeilocken, und dann schlachtete sies, kochte
und bratete es. Wenn jemand auf hundert Schritte dem
Schloß nahe kam, so mußte er stille stehen und konnte sich
nicht von der Stelle bewegen, bis sie ihn lossprach: wenn
aber eine keusche Jungfrau in diesen Kreis kam, so verwandelte sie dieselbe in einen Vogel, und sperrte sie dann in
einen Korb ein, und trug den Korb in eine Kammer des
Schlosses. ⌐Sie hatte wohl sieben tausend solcher Körbe mit
so raren Vögeln im Schlosse.⌐
Nun war einmal eine Jungfrau, die hieß ⌐Jorinde; sie war
schöner als alle andere Mädchen, die, und dann ein ganz
schöner Jüngling, namens Joringel⌐, hatten sich zusammen
versprochen. Sie waren in den Brauttagen, und sie hatten
ihr größtes Vergnügen eins am andern. Damit sie nun eins-
malen vertraut zusammen reden könnten, gingen sie in den
Wald spazieren. »Hüte dich«, sagte Joringel, »daß du nicht
so nahe ans Schloß kommst.« Es war ein schöner Abend,
die Sonne schien zwischen den Stämmen der Bäume hell ins
dunkle Grün des Waldes, und ⌐die Turteltaube sang kläg-
lich⌐ auf den alten Maibuchen*.

**mächtigste
Zauberin**

Rotbuchen

Jorinde weinte zuweilen, setzte sich hin im Sonnenschein und klagte. Joringel klagte auch: sie waren so bestürzt, als wenn sie hätten sterben sollen: sie sahen sich um, waren irre, und wußten nicht wohin sie nach Hause gehen sollten.
5 Noch halb stand die Sonne über dem Berg, und halb war sie unter. Joringel sah durchs Gebüsch, und sah die alte Mauer des Schlosses nah bei sich; er erschrak und wurde todbang. Jorinde sang

⌐»mein Vöglein mit dem Ringlein rot
10 singt Leide, Leide, Leide:
es singt dem Täublein seinen Tod,
singt Leide, Lei – zicküth*, zicküth, zicküth«.⌐

Joringel sah nach Jorinde. Jorinde war in eine Nachtigall verwandelt, die sang zicküth, zicküth. Eine Nachteule mit
15 glühenden Augen flog dreimal um sie herum, und schrie dreimal schu, hu, hu, hu. Joringel konnte sich nicht regen: er stand da wie ein Stein, konnte nicht weinen, nicht reden, nicht Hand noch Fuß regen. Nun war die Sonne unter: die Eule flog ⌐in einen Strauch, und gleich darauf kam eine alte
20 krumme Frau aus diesem hervor⌐, gelb und mager, große rote Augen, krumme Nase, die mit der Spitze ans Kinn reichte. Sie murmelte, fing die Nachtigall, und trug sie auf der Hand fort. Joringel konnte nichts sagen, nicht von der Stelle kommen; die Nachtigall war fort. Endlich kam das
25 Weib wieder, und sagte mit dumpfer Stimme »grüß dich, Zachiel*, wenns Möndel ins Körbel scheint, bind los, Zachiel, zu guter Stund«. Da wurde Joringel los: er fiel vor dem Weib auf die Knie und bat sie möchte ihm seine Jorinde wieder geben: aber sie sagte er sollte sie nie wieder ha-
30 ben, und ging fort. Er rief, er weinte, er jammerte, aber alles umsonst. »Uu, was soll mir geschehn?« Joringel ging fort, und kam endlich in ein fremdes Dorf: da hütete er die Schafe lange Zeit. Oft ging er rund um das Schloß herum, aber nicht zu nahe dabei: ⌐endlich träumte er einmal des Nachts
35 er fänd eine blutrote Blume, in deren Mitte eine schöne

Schallnachah-
mung des Rufs
der Nachtigall

Festbann- und
Lösezauber-
formel; ange-
rufen wird
wohl der dem
Planeten Jupi-
ter zugehörige
Dämon Zadkiel
bzw. Zachäriel,
wenn der klei-
ne Mond ins
Körbchen
scheint

große Perle war: die Blume brach er ab, ging damit zum
Schlosse: alles, was er mit der Blume berührte, ward von
der Zauberei frei: auch träumte er, er hätte seine Jorinde
dadurch wieder bekommen⌐. Des Morgens, als erwachte,
fing er an durch Berg und Tal zu suchen ob er eine solche   5
Blume fände: er suchte bis an den ⌐neunten⌐ Tag, da fand er
die blutrote Blume am Morgen früh. In der Mitte war ein
großer Tautropfe, so groß wie die schönste Perle. Diese
Blume trug er Tag und Nacht bis zum Schloß. Wie er auf
hundert Schritt nahe zum Schloß kam, da ward er nicht   10
fest*, sondern ging fort bis ans Tor. Joringel freute sich
hoch, berührte die Pforte mit der Blume, und sie sprang
auf. Er ging hinein, durch den Hof, horchte wo er die vielen
Vögel vernähme; endlich hörte ers. Er ging und fand den
Saal, darauf war die Zauberin, und fütterte die Vögel in   15
den sieben tausend Körben. Wie sie den Joringel sah, ward
sie bös, sehr bös, schalt*, spie Gift und Galle gegen ihn aus,
aber sie konnte auf zwei Schritte nicht an ihn kommen. Er
kehrte sich nicht an sie, und ging, besah die Körbe mit den
Vögeln; da waren aber viele hundert Nachtigallen, wie   20
sollte er nun seine Jorinde wieder finden? Indem er so zu-
sah, merkte er daß die Alte heimlich ein Körbchen mit einem Vogel nimmt, und damit nach der Türe geht. Flugs
sprang er hinzu, berührte das Körbchen mit der Blume und
auch das alte Weib: nun konnte sie nichts mehr zaubern   25
und Jorinde stand da, hatte ihn um den Hals gefaßt, so
schön wie sie ehemals war. Da machte er auch alle die
andern Vögel wieder zu Jungfrauen, und da ging er mit
seiner Jorinde nach Hause, und sie lebten lange vergnügt
zusammen.   30

festgebannt,
zum Stillste-
hen verhext

beschimpfte
ihn

14.
Der alte Großvater und der Enkel

Es war einmal ein steinalter Mann, dem waren die Augen trüb geworden, die Ohren taub, und die Knie zitterten ihm. Wenn er nun bei Tische saß, und den Löffel kaum halten konnte, schüttete er Suppe auf das Tischtuch, und es floß ihm auch etwas wieder aus dem Mund. Sein Sohn und dessen Frau ekelten sich davor, und deswegen mußte sich der alte Großvater endlich hinter den Ofen in die Ecke setzen, und sie gaben ihm sein Essen in ein irdenes* Schüsselchen, und noch dazu nicht einmal satt; da sah er betrübt nach dem Tisch, und die Augen wurden ihm naß. Einmal auch konnte seine zitterigen Hände das Schüsselchen nicht fest halten, es fiel zur Erde, und zerbrach. Die junge Frau schalt*, er aber sagte nichts, und seufzte nur. Da kauften sie ihm ein hölzernes Schüsselchen für ein paar Heller*, daraus mußte er nun essen. Wie sie da so sitzen, so trägt der kleine Enkel von vier Jahren auf der Erde kleine Brettlein zusammen. »Was macht du da?« fragte der Vater. »Ich mache ein Tröglein«, antwortete das Kind, »daraus sollen Vater und Mutter essen, wenn ich groß bin.« Da sahen sich Mann und Frau eine Weile an, fingen endlich an zu weinen, holten alsofort den alten Großvater an den Tisch, und ließen ihn von nun an immer mit essen, sagten auch nichts wenn er wenig verschüttete.

irdenes — aus Ton, gebrannter Erde gefertigt

schalt — schimpfte ihn aus

Heller — kleine Kupfermünze

15.
Der Arme und der Reiche

Vor alten Zeiten, als der liebe Gott noch selber auf Erden
unter den Menschen wandelte, trug es sich zu, daß er eines
Abends müde war, und ihn die Nacht überfiel, eh er zu   5
einer Herberge kommen konnte. Nun standen auf dem
Weg vor ihm zwei Häuser einander gegenüber, das eine
groß und schön, das andere klein und ärmlich anzusehen,
und gehörte das große einem reichen, das kleine einem armen Manne. Da dachte unser Herr Gott »dem Reichen   10
werde ich nicht beschwerlich fallen, bei ihm will ich an-
klopfen«. Der Reiche, als er an seine Türe klopfen hörte,
machte das Fenster auf, und fragte den Fremdling was er
suche. Der Herr antwortete »ich bitte nur um ein Nacht-
lager«. Der Reiche guckte den Wandersmann vom Haupt   15
bis zu den Füßen an, und weil der liebe Gott schlichte Kleider trug, und nicht aussah wie einer, der viel Geld in der
Tasche hat, schüttelte er mit dem Kopf, und sprach »ich
kann euch nicht aufnehmen, meine Kammern liegen voll
Kräuter und Samen, und sollte ich einen jeden beherber-   20
gen, der an meine Türe klopft, so könnte ich selber den
Bettelstab in die Hand nehmen. Sucht anderswo ein Aus-
kommen*«. Schlug damit sein Fenster zu, und ließ den lieben Gott stehen. Also kehrte ihm der liebe Gott den Rük-
ken, ging hinüber zu dem kleinen Haus, und klopfte an.   25
Kaum hatte er angeklopft, klinkte der Arme schon sein
Türchen auf, und bat den Wandersmann einzutreten und
bei ihm die Nacht über zu bleiben. ⌐»Es ist schon finster«,
sagte er, »und heute könnt ihr doch nicht weiter kommen.«⌐ Das gefiel dem lieben Gott, und er trat zu ihm ein: 30
die Frau des Armen reichte ihm die Hand, hieß ihn will-
kommen, und sagte er möchte sichs bequem machen und
vorlieb nehmen*, sie hätten nicht viel, aber was es wäre,

Mittel und
Wege

sich mit dem
Vorhandenen
begnügen

gäben sie von Herzen gerne. Dann setzte sie ⌜Kartoffeln⌝
ans Feuer, und derweil sie kochten, melkte sie ihre Ziege,
damit sie ein bißchen Milch dazu hätten. Und als der Tisch
gedeckt war, setzte sich der liebe Gott zu ihnen und aß mit,
5 und schmeckte ihm die schlechte* Kost gut, denn es waren   schlichte
vergnügte Gesichter dabei. Wie sie gegessen hatten und
Schlafenszeit war, rief die Frau heimlich ihren Mann, und
sprach, »hör, lieber Mann, wir wollen uns heute Nacht
eine Streu* machen, damit der arme Wanderer sich in unser   Strohlager
10 Bett legen und ausruhen kann, er ist den ganzen Tag über
gegangen, da wird einer müde«. »Von Herzen gern«, antwortete er, »ichs wills ihm anbieten«, ging zu dem lieben
Gott und bat ihn, wenns ihm recht wäre, möcht er sich in
ihr Bett legen und seine Glieder ordentlich ausruhen. Der
15 liebe Gott wollte den beiden Alten ihr Lager nicht nehmen,
aber sie ließen nicht ab, bis er es endlich tat und sich in ihr
Bett legte: sich selbst aber machten sie eine Streu auf die
Erde. Am andern Morgen standen sie vor Tag schon auf,
und kochten dem Gast ein Frühstück, so gut sie es hatten.
20 Als nun die Sonne durchs Fensterlein schien, und der liebe
Gott aufgestanden war, aß er wieder mit ihnen, und wollte
dann seines Weges ziehen. Als er in der Türe stand, sprach
er »weil ihr so mitleidig und fromm seid, so wünscht euch
dreierlei, das will ich euch erfüllen«. Da sagte der Arme
25 ⌜»was soll ich mir sonst wünschen, als die ewige Seligkeit,
und daß wir zwei so lang wir leben, gesund sind, und unser
notdürftiges tägliches Brot haben; fürs dritte weiß ich mir
nichts zu wünschen«⌝. Der liebe Gott sprach, »willst du dir
nicht ein neues Haus für das alte wünschen?« Da sagte der
30 Mann ja, wenn das ginge, wärs ihm wohl lieb. Nun erfüllte
der Herr ihre Wünsche, und verwandelte ihr altes Haus in
ein schönes neues, und als das geschehen war, verließ er sie
und zog weiter.
Als es voller Tag war, der Reiche aufstand und sich ins
35 Fenster legte, sah er gegenüber ein schönes neues Haus da

wo sonst eine alte Hütte gestanden hatte. Da machte er Augen, rief seine Frau, und sprach »Frau, sieh einmal, wie ist das zugegangen? Gestern Abend stand dort eine elende Hütte, und nun ists ein schönes neues Haus; lauf doch einmal hinüber, und höre wie das gekommen ist«. Die Frau ging hin, und fragte den Armen aus, der erzählte ihr »gestern Abend kam ein Wanderer, der suchte Nachtherberge, und heute Morgen beim Abschied hat er uns drei Wünsche gewährt, die ewige Seligkeit, Gesundheit in diesem Leben und das notdürftige tägliche Brot dazu, und statt unserer alten Hütte ein schönes neues Haus«. Als die Frau des Reichen das gehört hatte, lief sie fort, und erzählte ihrem Manne wie es gekommen war. Der Mann sprach »ich möchte mich zerreissen und zerschlagen; hätt ich das nur gewußt! der Fremde ist auch bei mir gewesen, ich habe ihn aber abgewiesen«. »Eil dich«, sprach die Frau, »und setze dich auf dein Pferd, der Mann ist noch nicht weit, du mußt ihn einholen, und dir auch drei Wünsche gewähren lassen«.

Da setzte sich der Reiche auf, und holte den lieben Gott ein, redete fein und lieblich zu ihm, und sprach er möchts doch nicht übel nehmen daß er ihn nicht gleich eingelassen, er hätte den Schlüssel zur Haustüre gesucht, derweil wäre er weggegangen: wenn er des Weges zurück käme, müßte er bei ihm einkehren. »Ja«, sprach der liebe Gott, »wenn ich einmal zurückkomme, will ich es tun.« Da fragte der Reiche ob er nicht auch drei Wünsche tun dürfte, wie sein Nachbar? »Ja«, sagte der liebe Gott, das dürfe er wohl, es wäre aber nicht gut für ihn, und er sollte sich lieber nichts wünschen. Der Reiche aber meinte er wollte sich schon etwas Gutes aussuchen, wenn es nur gewiß erfüllt würde. Sprach der liebe Gott »reit nur heim, und drei Wünsche, die du tust, die sollen erfüllt werden«.

Nun hatte der Reiche, was er wollte, ritt heimwärts, und besann sich was er sich wünschen sollte. Wie er so nachdachte, und die Zügel fallen ließ, fing das Pferd an zu springen so daß er immerfort in seinen Gedanken gestört wurde, und sie gar nicht zusammen bringen konnte. Da ward er über das Pferd ärgerlich, und sprach in Ungeduld »so wollt ich, daß du den Hals zerbrächst!« und wie er das Wort ausgesprochen hatte, plump, fiel er auf die Erde, und lag das Pferd tot und regte sich nicht mehr; und war der erste Wunsch erfüllt. Weil er aber geizig war, wollte er das Sattelzeug nicht im Stich lassen, schnitts ab, hings auf den Rücken, und mußte nun zu Fuß nach Haus gehen. Doch tröstete er sich daß ihm noch zwei Wünsche übrig wären. Wie er nun dahin ging durch den Sand, und als zu Mittag die Sonne heiß brannte, wards ihm so warm und verdrieß-lich* zu Mut: der Sattel drückte ihn dabei auf den Rücken, auch war ihm noch immer nicht eingefallen was er sich wünschen sollte. »Wenn ich mir auch alle Reiche und alle Schätze der Welt wünsche«, dachte er bei sich selbst, »so habe ich hernach doch noch allerlei Wünsche, dieses und jenes, das weiß ich im voraus: ich will aber meinen Wunsch so einrichten, daß mir gar nichts mehr übrig bleibt, wonach ich noch Verlangen hätte.« Meinte er diesmal hätte er et-was, so schiens ihm hernach doch viel zu wenig und gering. ⌐Da kam ihm so in die Gedanken was es doch seine Frau jetzt gut habe, die sitze daheim in einer kühlen Stube und lasse sichs wohl schmecken. Das ärgerte ihn ordentlich, und ohne daß ers wußte, sprach er so hin »ich wollte, die säße daheim auf dem Sattel und könnte nicht herunter, statt daß ich ihn da mit mir auf dem Rücken schleppe«.⌐ Und wie das letzte Wort aus seinem Munde kam, so war der Sattel von seinem Rücken verschwunden, und er merk-te daß sein zweiter Wunsch auch in Erfüllung gegangen war. Da ward ihm erst recht heiß, und er fing an zu laufen, und wollte sich daheim ganz einsam hinsetzen, und auf was Großes für den letzten Wunsch nachdenken. Wie er aber ankommt, und seine Stubentür aufmacht, sitzt da seine Frau mittendrin auf dem Sattel, und kann nicht herunter,

übel gelaunt, ärgerlich

jammert und schreit. Da sprach er »gib dich zufrieden, ich will dir alle Reichtümer der Welt herbei wünschen, nur bleib da sitzen«. Sie antwortete aber »was helfen mir alle Reichtümer der Welt, wenn ich auf dem Sattel sitze; du hast mich darauf gewünscht, du mußt mir auch wieder herunter 5 helfen«. Er mochte wollen oder nicht, er mußte den dritten Wunsch tun, daß sie vom Sattel ledig wäre und heruntersteigen könnte; und der ward auch erfüllt. Also hatte er nichts davon als Ärger, Mühe und ein verlornes Pferd: die Armen aber lebten vergnügt still und fromm bis an ihr se- 10 liges Ende.

16.
Die Gänsemagd

Es lebte einmal eine alte Königin, der war ihr Gemahl schon lange Jahre gestorben, und sie hatte eine schöne 15 Tochter. Wie die erwuchs, wurde sie weit über Feld auch an einen Königssohn versprochen. Als nun die Zeit kam, wo sie vermählt werden sollten, und das Kind in das fremde Reich abreisen mußte, packte ihr die Alte gar viel köstliches Gerät und Geschmeide* ein, Gold und Silber, Becher 20 und Kleinode*, kurz alles, was nur zu einem königlichen Brautschatz gehörte, denn sie hatte ihr Kind von Herzen lieb. Auch gab sie ihr eine Kammerjungfer* bei, welche mitreiten und die Braut in die Hände des Bräutigams überliefern sollte, und jede bekam ein Pferd zur Reise, aber das 25 Pferd der Königstochter hieß ⌈Falada⌉, und konnte sprechen. Wie nun die Abschiedsstunde da war, begab sich die alte Mutter in ihre Schlafkammer, nahm ein Messerlein, und schnitt damit in ihre Finger, daß sie bluteten: darauf hielt sie ein weißes Läppchen unter, und ließ ⌈drei Tropfen 30

Schmuck

Schmuck-
stücke

Zofe, unver-
heiratete Die-
nerin für die
persönlichen
Dienste einer
Fürstin

Blut⌐ hineinfallen, gab sie der Tochter, und sprach »liebes
Kind verwahr sie wohl, sie werden dir unterweges Not
tun*«.

von Nutzen
sein

Also nahmen beide von einander betrübten Abschied: das
Läppchen steckte die Königstochter in ihren Busen vor
sich, setzte sich aufs Pferd, und zog nun fort zu ihrem Bräutigam. Da sie eine Stunde geritten waren, empfand sie heißen Durst, und rief ihrer Kammerjungfer »steig ab, und
schöpfe mir mit meinem Becher, den du aufzuheben hast,
Wasser aus dem Bache, ich möchte gern einmal trinken«.
»Wenn ihr Durst habt«, sprach die Kammerjungfer, »so
steigt selber ab, legt euch ans Wasser und trinkt, ich mag
eure Magd nicht sein.« ⌐Da stieg die Königstochter vor großem Durst herunter, neigte sich über das Wässerlein im
Bach und trank, und durfte nicht aus dem goldnen Becher
trinken. Da sprach sie »ach Gott!« da antworteten die drei
Blutstropfen »wenn das deine Mutter wüßte, das Herz im
Leibe tät ihr zerspringen«.⌐ Aber die Königsbraut war de-
mütig, sagte nichts, und stieg wieder zu Pferd. So ritten sie
etliche Meilen weiter fort, und der Tag war warm, die Sonne stach, und sie durstete bald von neuem: da sie nun an
einen Wasserfluß kamen, rief sie noch einmal ihrer Kammerjungfer »steig ab, und gib mir aus meinem Goldbecher
zu trinken«. Denn sie hatte aller bösen Worte längst vergessen. Die Kammerjungfer sprach aber, noch hochmüti-
ger, »wollt ihr trinken, so trinkt allein, ich mag nicht eure
Magd sein«. Da stieg die Königstochter hernieder vor großem Durst, und legte sich über das fließende Wasser, weinte und sprach »ach Gott!« und die Blutstropfen antworteten wiederum »wenn das deine Mutter wüßte, das
Herz im Leibe tät ihr zerspringen«. Und wie sie so trank,
und sich recht überlehnte, fiel ihr das Läppchen, worin die
drei Tropfen waren, aus dem Busen, und floß mit dem Wasser fort ohne daß sie es in ihrer großen Angst merkte. Die
Kammerjungfer hatte aber zugesehen, und freute sich daß

sie Gewalt über die Braut bekäme: denn damit, daß diese die Blutstropfen verloren hatte, war sie schwach und machtlos geworden. Als sie nun wieder auf ihr Pferd steigen wollte, das da hieß Falada, sagte die Kammerfrau »auf Falada gehör ich, und auf meinen Gaul gehörst du«, und das mußte sie sich gefallen lassen. Dann befahl ihr die Kammerfrau mit harten Worten die königlichen Kleider auszuziehen und ihre schlechten anzulegen, und endlich mußte sie sich unter freiem Himmel verschwören daß sie am königlichen Hof keinem Menschen etwas davon sprechen wollte; und wenn sie diesen Eid nicht abgelegt hätte, wäre sie auf der Stelle umgebracht worden. Aber Falada sah das alles an, und nahms wohl in acht.

Die Kammerfrau stieg nun auf Falada, und die wahre Braut auf das schlechte Roß, und so zogen sie weiter, bis sie endlich in dem königlichen Schloß eintrafen. Da war große Freude über ihre Ankunft, und der Königssohn sprang ihnen entgegen, hob die Kammerfrau vom Pferde, und meinte sie wäre seine Gemahlin: und sie wurde die Treppe hinaufgeführt; die wahre Königstochter aber mußte unten stehen bleiben. Da schaute der alte König am Fenster, und sah sie im Hofe halten, und sah wie sie fein war, zart und gar schön: ging alsbald hin ins königliche Gemach, und fragte die Braut nach der, die sie bei sich hätte, und da unten im Hofe stände, und wer sie wäre? »Die hab ich mir unterwegs mitgenommen zur Gesellschaft, gebt der Magd was zu arbeiten, daß sie nicht müßig steht.« Aber der alte König hatte keine Arbeit für sie, und wußte nichts, als daß er sagte »da hab ich so einen kleinen Jungen, der hütet die Gänse, dem mag sie helfen«. Der Junge hieß Kürdchen (Konrädchen), dem mußte die wahre Braut helfen ⌜Gänse hüten⌝.

Bald aber sprach die falsche Braut zu dem jungen König »liebster Gemahl, ich bitte euch tut mir einen Gefallen«. Er antwortete »das will ich gerne tun«. »Nun so laßt den Schinder* rufen, und da dem Pferde, worauf ich hergeritten

Abdecker, der toten Tieren Haut oder Fell abzieht (der sie schindet)

bin, den Hals abhauen, weil es mich unterweges geärgert hat«, eigentlich aber fürchtete sie daß das Pferd sprechen möchte wie sie mit der Königstochter umgegangen wäre. Nun war das so weit geraten, daß es geschehen und der treue Falada sterben sollte, da kam es auch der rechten Königstochter zu Ohr, und sie versprach dem Schinder heimlich ein Stück Geld, das sie ihm bezahlen wollte, wenn er ihr einen kleinen Dienst erwiese. In der Stadt war ein großes, finsteres Tor, wo sie Abends und Morgens mit den Gänsen durch mußte, unter das finstere Tor möchte er ⌜dem Falada seinen Kopf hinnageln⌝, daß sie ihn doch noch mehr als einmal sehen könnte. Also versprach das der Schindersknecht zu tun, hieb den Kopf ab, und nagelte ihn unter das finstere Tor fest.

Des Morgens früh, als sie und Kürdchen unterm Tor hinaustrieben, sprach sie im Vorbeigehen
»o Falada, da du hangest«,
da antwortete der Kopf
⌜»o du Jungfer Königin, da du gangest,
wenn das deine Mutter wüßte,
ihr Herz tät ihr zerspringen«.⌝
Da zog sie still weiter zur Stadt hinaus, und sie trieben die Gänse aufs Feld. Und wenn sie auf der Wiese angekommen war, saß sie hier, ⌜und machte ihre Haare auf, die waren eitel Gold⌝, und Kürdchen sah sie, und freute sich, wie sie glänzten, und wollte ihr ein paar ausraufen. Da sprach sie
»weh, weh, Windchen,
nimm Kürdchen sein Hütchen,
und laß'n sich mit jagen,
bis ich mich geflochten und geschnatzt*,
und wieder aufgesatzt*«.
Und da kam ein so starker Wind, daß er dem Kürdchen sein Hütchen wegwehte über alle Land, daß es ihm nachlief, und bis es wiederkam war sie mit dem Kämmen und Aufsetzen fertig, und er konnte keine Haare kriegen. Da war

hessisch: Haare um die Haarnadel(n) wickeln

hessisch: aufgesetzt, das geflochtene (zuweilen mit einem Band geschmückte) Haar um den Kopf kränzen

Kürdchen bös, und sprach nicht mit ihr, und so hüteten sie die Gänse bis daß es Abend wurde, dann fuhren sie nach Haus.

Den andern Morgen, wie sie unter dem finstern Tor hinaustrieben, sprach die Jungfrau

»o du Falada, da du hangest«,

Falada antwortete

»o du Jungfer Königin, da du gangest,
wenn das deine Mutter wüßte,
das Herz tät ihr zerspringen«.

Und in dem Feld setzte sie sich wieder auf die Wiese, und fing an ihr Haar auszukämmen, und Kürdchen lief, und wollte danach greifen, da sprach sie schnell

»weh, weh, Windchen,
nimm dem Kürdchen sein Hütchen,
und laß'n sich mit jagen,
bis ich mich geflochten und geschnatzt,
und wieder aufgesatzt«.

Da wehte der Wind, und wehte ihm das Hütchen vom Kopf weit weg, daß Kürdchen nachlaufen mußte, und als es wieder kam, hatte sie längst ihr Haar zurecht, und es konnte keins davon erwischen, und sie hüteten die Gänse bis es Abend wurde.

Abends aber, nachdem sie heim kamen, ging Kürdchen vor den alten König, und sagte »mit dem Mädchen will ich nicht länger Gänse hüten«. »Warum denn?« fragte der alte König. »Ei, das ärgert mich den ganzen Tag.« Da befahl ihm der alte König zu erzählen wies ihm denn mit ihr ginge. Da sagte Kürdchen »Morgens, wenn wir unter dem finstern Tor mit der Herde durchkommen, so ist da ein Gaulskopf an der Wand, zu dem redet sie

›Falada, da du hangest‹,

da antwortet der Kopf

»›o du Königsjungfer, da du gangest,
wenn das deine Mutter wüßte,
das Herz tät ihr zerspringen‹.«

Und so erzählte Kürdchen weiter, was auf der Ganswiese geschähe, und wie es da dem Hute im Winde nachlaufen müßte.

Der alte König befahl ihm aber den nächsten Tag wieder hinaus zu treiben, und er selbst, wie es Morgens war, setzte sich hinter das finstere Tor, und hörte da wie sie mit dem Haupt des Falada sprach: und dann ging er ihr auch nach in das Feld, und barg sich in einem Busch auf der Wiese. Da sah er nun bald mit seinen eigenen Augen wie die Gänsemagd und der Gänsejunge die Herde getrieben brachte, und nach einer Weile sie sich setzte und ihre Haare losflocht, die strahlten von Glanz. Gleich sprach sie wieder

»weh, weh, Windchen.

faß Kürdchen sein Hütchen,

und laß'n sich mit jagen,

bis daß ich mich geflochten und geschnatzt,

und wieder aufgesatzt«.

Da kam ein Windstoß und fuhr mit Kürdchens Hut weg, daß es weit zu laufen hatte, und die Magd kämmte und flocht ihre Locken still fort, welches der alte König alles beobachtete. Darauf ging er unbemerkt zurück, und als Abends die Gänsemagd heim kam, rief er sie bei Seite, und fragte warum sie dem allem so täte? »Das darf ich euch und keinem Menschen nicht sagen, denn so hab ich mich unter freiem Himmel verschworen, weil ich sonst um mein Leben wäre gekommen.« Er aber drang in sie, und ließ ihr keinen Frieden: »willst du mirs nicht erzählen«, sagte der alte König endlich, ⌐»so darfst dus doch dem Kachelofen erzählen.«⌐ »Ja, das will ich wohl« antwortete sie. Damit mußte sie in den Ofen kriechen, und schüttete ihr ganzes Herz aus, wie ihr bis dahin ergangen, und wie sie von der bösen Kammerjungfer betrogen worden war. Aber der Ofen hatte oben ein Loch, da lauerte ihr der alte König zu, und vernahm ihr Schicksal von Wort zu Wort. Da wars gut, und Königskleider wurden ihr alsbald angetan, und es schien ein Wunder, wie sie so schön war. Der alte König rief seinen Sohn, und offenbarte ihm daß er die falsche Braut hätte, die wäre bloß ein Kammermädchen: die wahre aber stände hier, als die gewesene Gänsemagd. Der junge König aber war herzensfroh, als er ihre Schönheit und Tugend erblick- 5 te, und ein großes Mahl wurde angestellt, zu dem alle Leute und guten Freunde gebeten wurden. Obenan saß der Bräutigam, die Königstochter zur einen Seite und die Kammerjungfer zur andern, aber die Kammerjungfer war verblendet, und erkannte jene nicht mehr in dem glänzenden 10 Schmuck. Als sie nun gegessen und getrunken hatten, und gutes Muts waren, gab der alte König der Kammerfrau ein Rätsel auf, was eine solche wert wäre, die den Herrn so und so betrogen hätte, erzählte damit den ganzen Verlauf, und fragte »welches Urteils ist diese würdig?« ⌜Da sprach die 15 falsche Braut »die ist nichts Besseres wert als splinternackt* ausgezogen in ein Faß, das inwendig mit spitzen Nägeln beschlagen ist, geworfen zu werden: und zwei weiße Pferde, davor gespannt, müssen sie Gasse auf Gasse ab zu Tode schleifen«.⌝ »Das bist du«, sprach der alte König, »und 20 dein eigen Urteil hast du gefunden, und danach soll dir widerfahren«; welches auch vollzogen wurde. Der junge König vermählte sich aber mit seiner rechten Gemahlin, und beide beherrschten ihr Reich in Frieden und Seligkeit.

splitternackt, völlig unbekleidet (nach dem Bild des bis auf den letzten Splitter abgeschälten Baumstammes)

Kommentar

Die Kinder- und Hausmärchen
der Brüder Grimm

Im Jahr 1806 begannen die seinerzeit noch jugendlichen und gänzlich unbekannten Brüder Jacob Grimm (1785–1863) und Wilhelm Grimm (1786–1859), die später als Begründer und hervorragendste Vertreter wissenschaftlicher Disziplinen wie der Germanistik oder Volkskunde sowie als Herausgeber des monumentalen *Deutschen Wörterbuchs* Weltruhm erlangten, auf Anregung und unter Anleitung des romantischen Dichters Clemens Brentano (1778–1842) in Kassel mit dem Sammeln und Aufzeichnen von Volksmärchen. Brentano wollte die Märchen zunächst als Fortsetzung seiner gemeinsam mit Achim von Arnim (1781–1831) herausgegebenen dreibändigen Volksliedersammlung *Des Knaben Wunderhorn* (1805–1808) bearbeiten und veröffentlichen.

Die Anfänge dieses sachgerechten Sammelns, Auswählens, Bearbeitens und Kommentierens der deutschsprachigen Märchenüberlieferung standen im Kontext der romantischen Bewegung mit ihrem Sinn für volkstümliche Literatur und altdeutsche Dichtung, worunter man eine Epoche vom Frühmittelalter bis zum Ende der Barockzeit verstand. Die Bewahrung und Propagierung der Märchenerzählungen schienen zugleich durch die politische und sozialgeschichtliche Situation geboten. Infolge der napoleonischen Besetzung fürchtete man um Bestand und weitere Tradierung dieses Kulturguts. Überdies glaubte man, dass speziell die mündlichen Volksüberlieferungen gefährdet seien, und zwar durch die in dieser Zeit rapide steigende Schreib- und Lesefähigkeit (allgemeine Schulpflicht), aber auch durch die Auflösung klassischer Orte des Erzählens, etwa der Großfamilien und ganzer Bereiche gemeinsamer Hausarbeiten.

Als Brentano im Oktober 1810 die gesammelten Märchenaufzeichnungen erbat, konnten ihm die Brüder Grimm an die 50 handschriftliche Texte übersenden, wovon der überwiegende Anteil von Jacob Grimm niedergeschrieben war, der dann indes seit 1815 die Märchenredaktion fast völlig seinem jüngeren Bruder überließ. Nachdem Brentano jedoch seinen ursprünglichen

Plan aufgegeben hatte, das *Wunderhorn* mit Sagen- und Märchensammlungen fortzuführen, veröffentlichten die Grimms Ende 1812 den größten Teil dieser und an die 50 weitere Geschichten unter dem Titel *Kinder- und Hausmärchen. Gesammelt durch die Brüder Grimm* (KHM) sowie 1814 (impr. 1815) einen zweiten Band mit 70 Texten; den meisten der insgesamt 156 Beiträge gaben sie im Anhang Anmerkungen bei.

Die Texte gewannen sie teils aus alten oder zeitgenössischen Publikationen, teils aus mündlicher Überlieferung. Bei den gedruckten Vorlagen handelt es sich meist um Binnenerzählungen, welche die Grimms auf Grund ihrer Gattungsmerkmale und der Vermutung, sie basierten ihrerseits auf mündlicher Tradition, aus dem epischen Zusammenhang lösten – vor allem deshalb mussten diese Geschichten meist ein wenig überarbeitet werden. Die Beiträger aus ihrem Freundes- und Bekanntenkreis waren anfänglich gleichaltrige junge Damen aus dem gehobenen Kasseler Stadtbürgertum, die zum Teil hugenottische Vorfahren besaßen und jedenfalls allesamt mit der französischen Märchentradition vertraut waren. Später kamen auch wenige ältere Gewährsleute hinzu, unter denen die Wirtstochter und Schneidersgattin Dorothea Viehmann (1755–1815) aus dem Dorf Zwehrn bei Kassel die bedeutendste ist; auch sie, eine geborene Pierson, stammte von nach Hessen eingewanderten Hugenotten ab.

Der gattungsspezifische Maßstab für die Textauswahl war bei der Kreierung eines so bislang nicht existierenden literarischen Genres noch etwas unbestimmt, sodass neben den »eigentlichen« Märchen (Zaubermärchen, in denen sich wenigstens an einer Stelle ein Wunder ereignet) zahlreiche weitere Textsorten aufgenommen wurden, die man eher dem Schwank, der Sage, dem Witz, der Anekdote, dem Rätsel und anderen Gattungen zurechnen muss. Diese erschienen indes den Grimms durch vermutete oder tatsächliche mündliche Überlieferung, resp. durch ihr Alter, sammelns- und veröffentlichenswert.

Was Inhalte, Tendenz und Form betrifft, so dienten ihnen zwei von dem Maler und Schriftsteller Philipp Otto Runge (1777–1810) aufgezeichnete plattdeutsche Märchen als Muster und Ideal (»Von dem Machandelboom« und »Von dem Fischer un syner Fru«, 1806). Dabei wollten oder konnten sie nicht erkennen, dass sich der Künstler bei der Formulierung seiner Niederschriften große Freiheiten in der motivlichen und stilistischen Ausgestaltung der beiden Märchen genommen hatte. Dies hatte zur Folge, dass die Brüder Grimm meinten, die ihnen in nicht so vollendeter Gestalt wie die Rungeschen Märchen zugekommenen Texte bedürften der Restauration, der ästhetischen Glättung. Und so überarbeiteten sie – übrigens in voller Übereinstimmung mit den entsprechenden Usancen des 19. Jahrhunderts – ihr gesammeltes Material von Anfang an. Mit Änderungen oder Einschüben nach eigenem Gutdünken hielten sie sich indes vergleichsweise zurück, dafür arbeiteten sie umso stärker Partikel und ganze Passagen aus zahlreichen variierenden Fassungen in die Texte ein (Kontaminationen). Auf diese Weise kam – im Wesentlichen mit der Zweitauflage von 1819 – der eigentümliche, bis heute ungewöhnlich faszinierende Grimm-Ton zustande, der das »Buchmärchen« (zwischen Volks- und Kunstmärchen angesiedelt) bestimmt.

Ein Bucherfolg war die in ihrem Umfang von Auflage zu Auflage auf schließlich 211 Texte anwachsende Grimmsche Sammlung trotz ihres relativ niedrigen Preises von 1 Taler und 18 Groschen – der im Umfang etwa gleich starke erste *Wunderhorn*-Band kostete damals 3 Taler und 4 Groschen – zunächst jedoch keinesfalls. Dies lässt sich vor allem auf zwei Tatsachen zurückführen: die unmittelbar beigegebenen wissenschaftlichen Anmerkungen und Vorreden sowie die bis auf das jeweilige Frontispiz fehlende Bebilderung. Darüber hinaus war nicht zu übersehen, dass die Mehrzahl der unter vorwiegend wissenschaftlich-mythenkundlichen Aspekten gesammelten und veröffentlichten Geschichten der sich zunehmend als eigentliche Interessentengruppe herauskristallisierenden Leser- bzw. Hörerschaft – den Kindern und ihren Erziehern nämlich – nicht ausnahmslos zusagen konnte. Erst im Gefolge einer Auswahlausgabe mit 50 Texten (»Kleine Ausgabe« von 1825 mit neun weiteren Auflagen bis 1858), zu denen Ludwig Emil Grimm sieben Illustrationen schuf, wurden die KHM seit der dritten Auflage von 1837, die auch aus diesem Grund besondere Aufmerksamkeit verdient, in jeder Hinsicht zu einem Bestseller (die ersten beiden Editionen waren erst nach 25 Jahren verkauft; ab der dritten Ausgabe folgten in 20 Jahren hingegen fünf Auflagen).

Hielten sich Verbreitung und Popularität der KHM im deutschsprachigen Bereich im 19. Jahrhundert noch mit den seit 1843 erscheinenden Märchenbüchern Ludwig Bechsteins (1801–1860) die Waage, so wurden sie im 20. Jahrhundert zum meistaufgelegten, meistübersetzten und bestbekannten deutschsprachigen Buch überhaupt. Heute gehören die KHM in jedem Sinn (dank ihres Gehalts und ihrer Verbreitung) zur Weltliteratur. Im deutschsprachigen Raum machen sie einen großen Teil des Restes literarischer Allgemeinbildung aus, wie ihre ständige Präsenz in der Werbung, in Parodien, Umarbeitungen, Witzen usw. erweist, da beim Rezipienten immer die Kenntnis der auf diese Weise aufgearbeiteten Texte vorausgesetzt wird. Darüber hinaus zeigt sich die hohe Wertschätzung der KHM an den wissenschaftlichen Bemühungen der verschiedensten Disziplinen – von der Literaturwissenschaft, der Volks- und Völkerkunde über die Soziologie und Psychologie bis hin zur Theologie und Pädagogik. Man vermutet mythische Spuren, Bilder des (kollektiven) Vor- und Unterbewussten in ihnen und betrachtet sie als die immer noch höchst wirkungsvollen »heimlichen Erzieher« von nunmehr schon sechs Generationen, die aller Aufmerksamkeit wert sind.

Bibliographie

Kommentierte KHM-Ausgaben: Die älteste Märchensammlung der Brüder Grimm, hrsg. von H. Rölleke, Genf 1975.
Das Grimmsche Handexemplar der KHM-Erstausgabe, hrsg. von H. Rölleke, Göttingen 1986.
Die dritte Ausgabe von 1837 (mit dem Anhang aller übrigen KHM), hrsg. von H. Rölleke, Frankfurt/M. 1985.
Die Ausgabe Letzter Hand von 1857 (mit den Grimmschen Anmerkungen von 1856 und dem Anhang aller übrigen KHM), hrsg. von H. Rölleke, Stuttgart 1980 u. ö.
Dass. (ohne Anhang und Grimmsche Anmerkungen), hrsg. von H.-J. Uther, München 1996.
Wichtige Nachschlagwerke mit weiterführenden Bibliographien zu jedem Märchen: J. Bolte/G. Polívka: Anmerkungen zu den KHM, Leipzig 1913–1932 (hier: BP).

Enzyklopädie des Märchens, begr. von K. Ranke, Berlin/New York 1975ff. (hier: EM).
W. Scherf: Das Märchenlexikon, München 1995 (hier: Scherf).
Einführungen in die KHM: M. Lüthi: Märchen, Stuttgart ⁹1995.
F. Karlinger: Grundlage einer Geschichte des Märchens im deutschen Sprachraum, Darmstadt 1983.
H. Rölleke: Die Märchen der Brüder Grimm, Bonn ³1992.

Zu dieser Ausgabe

Die hier zusammengestellten 16 Märchen gehören einerseits zu den berühmtesten der Grimmschen Sammlung, während sie andererseits zumindest andeutungsweise deren breites und vielfältiges Spektrum repräsentieren, was Gattungseigentümlichkeiten (neben den genuinen Zaubermärchen z. B. das Schwankmärchen vom »Fürchtenlernen« oder das Kunstmärchen »Jorinde und Joringel«), aber auch was prägende Weltanschauungen (z. B. animistische oder dämonistische Züge im »Froschkönig«, in »Die drei Männlein im Walde« oder im »Rumpelstilzchen«) betrifft. Darüber hinaus sollen durch diese Texte möglichst viele der dem Märchen eigentümlichen Charakteristika stilistischer und motivlicher Art vorgestellt werden.
Die Auswahl basiert auf dem Nachdruck der dritten KHM-Auflage von 1837 (hrsg. von Heinz Rölleke, Frankfurt/M. 1985), auch weil damit bequeme Möglichkeit geboten ist, die Stilentwicklung der KHM bis dahin und von dort bis zur Ausgabe letzter Hand zu beobachten. Die Kommentare geben keine Deutungen, wohl aber Hinweise auf mögliche Bedeutungen sowie Erläuterungen zu Parallelfassungen oder -motiven; zur Rezeptionsgeschichte konnten nur einige Daten gegeben werden – sie ist neuerlich ausführlicher dokumentiert durch Ulf Diederichs *Who's who im Märchen* (München 1995).

Kommentare zu den einzelnen Märchen

1. Der Froschkönig
oder der eiserne Heinrich (KHM 1)

Dieses Märchen eröffnete alle KHM-Ausgaben zu Lebzeiten der Brüder Grimm, und zwar zum einen, weil diese glaubten, es sei eines der »ältesten in Deutschland« überlieferten Märchen überhaupt; sie bezogen gewisse Anspielungen in den Werken von Georg Rollenhagen (1542–1609) und Johann Michael Moscherosch (1601–1669) im 16. und 17. Jahrhundert auf die Geschichte vom Herzen mit den Eisenbanden –, und zum anderen, weil Wilhelm Grimm die seit der dritten KHM-Auflage (1837) eingefügte Eingangsformel von den »alten Zeiten, wo das Wünschen noch geholfen hat«, als programmatisch für die gesamte Märchensammlung aufgefasst wissen wollte.

In der handschriftlichen Märchensammlung von 1810 findet sich eine sehr viel kürzere Fassung als Nr. 25 unter dem Titel »Die Königstochter und der verzauberte Prinz«, die Wilhelm Grimm offenbar nach der mündlichen Mitteilung durch die Kasseler Apothekersfamilie Wild aufgezeichnet hat. Da diese Überschrift das Überraschungsmoment der Entzauberung des Prinzen vorwegnimmt, hat sie Jacob Grimm schon im Manuskript durch den ihm aus Rollenhagens satirischem Tierepos *Froschmeuseler* (1595) bekannten Begriff »Froschkönig« ergänzt bzw. ersetzt. Damit war auch eine deutlichere Parallele zu einer 1548 in Schottland veröffentlichten Variante der Geschichte geschaffen. Die erste konkrete Spur deutschsprachiger Überlieferung ist der Abdruck der Verse »Königstochter jüngste . . .« in der Zeitschrift *Bragur* von 1794, die deren Herausgeber, Friedrich David Gräter (1768–1830), als Kind in einem »Ammenmärchen von drei Königstöchtern und dem in einen Frosch verwandelten Prinzen« gehört hatte.

Die stets weitergeführte Ausgestaltung der Eingangssätze kann allgemein als Beispiel für die KHM-Textentwicklung stehen.

1810: »Die jüngste Tochter des Königs ging hinaus in den Wald, und setzte sich an einen kühlen Brunnen. Darauf nahm sie eine goldene Kugel und spielte damit, als diese plötzlich in den Brunnen hinabrollte.«

1812: »Es war einmal eine Königstochter, die ging hinaus in den Wald und setzte sich an einen kühlen Brunnen. Sie hatte [hs. Zusatz: aber] eine goldene Kugel, die war ihr liebstes Spielwerk, die warf sie in die Höhe und fing sie wieder in der Luft und hatte ihre Lust daran. Einmal war die Kugel gar hoch geflogen, sie hatte die Hand schon ausgestreckt und die Finger gekrümmt, um sie wieder zu fangen, da schlug sie neben vorbei auf die Erde, rollte und rollte und geradezu in das Wasser hinein.«

1819: »Es war einmal eine Königstochter, die wußte nicht was sie anfangen sollte vor langer Weile. Da nahm sie eine goldene Kugel, womit sie schon oft gespielt hatte und ging hinaus in den Wald. Mitten in dem Wald aber war ein reiner, kühler Brunnen, dabei setzte sie sich nieder, warf die Kugel in die Höhe, fing sie wieder und das war ihr so ein Spielwerk. Es geschah aber, als die Kugel einmal recht hoch geflogen war und die Königstochter schon den Arm in die Höhe hielt und die Fingerchen streckte, um sie zu fangen, daß sie neben vorbei auf die Erde schlug und gerade zu ins Wasser hinein rollte.«

1837: »In den alten Zeiten, wo das Wünschen noch geholfen hat, lebte ein König . . .«

Neu in den Text gekommen sind die Angabe, dass der König mehrere Töchter hatte (von denen aber sonst keine weiter erwähnt wird), der Hinweis auf die Schönheit der jüngsten Prinzessin und dessen poetische Ausschmückung, die Erwähnung der alten Linde (im Wald!) und des Brunnenrandes, die Begründung für das Spielen im Wald (»wenn nun der Tag recht heiß war«), die Umplatzierung der Aussage über die »Langeweile«. An stilistischen Veränderungen sind etwa die Einfügung der biblisch getönten Wendung »Es geschah aber« (1819) bzw. »Nun trug es sich einmal zu« (1837) und die wechselnde Einfügung von Adjektiven (»reiner, kühler Brunnen«; »großer, dunkler Wald«) zu registrieren.

Gattungstypisch sind die handelnden Figuren namenlos; sie sind Typen, über deren Alter und Aussehen usw. man ebenso wenig erfährt wie über ihre Gefühle. Das stumpfe Motiv, dass die Märchenheldin die »Jüngste« ist, entspricht den sonst üblichen Mär-

chenschemata, wo der, die oder das Dritte immer das Wichtigs-
te, das Bedeutendste oder das Entscheidende ist; hier indes ist
der Text erkennbar den zuvor in der *Bragur* veröffentlichten
Versen angepasst. Die Begegnung der Märchenheldin mit dem
Numinosen, dem menschlich sprechenden und handelnden Tier,
geschieht wie immer im Märchen in der Einsamkeit (hier des
Waldes; vgl. z. B. auch die Begegnung der Kinder mit der Hexe
im Wald in »Hänsel und Grethel«), in die Wilhelm Grimm allerdings mit der Vervollständigung der Requisiten durch die Linde
eine Art locus amoenus, einen idyllischen Ort, einbaut. Dass die
Prinzessin sich überhaupt nicht verwundert, als sie, sich um-
wendend, erkennt, wer sie angesprochen hat, entspricht dem
Umgang aller Märchenhelden mit dem Wunderbaren oder Numinosen: Sie nehmen es als selbstverständlich hin und Mär-
chenerzähler wie Märchenhörer teilen diese Haltung. Der
Frosch bittet sich als Belohnung dreierlei aus: Er will mit ihr
essen, trinken und schlafen (das Trinken wird später allerdings
nicht mehr erwähnt). Ersteres gewährt die Prinzessin nur auf
ausdrücklichen Befehl ihres Vaters, der in Befolgung äußerlicher
Moralvorstellungen (selbst gedankenlose und geradezu exis-
tenzbedrohende Versprechen sind in jedem Fall strikt zu erfüllen) auch auf den Beischlaf seiner Tochter mit dem Tier drängt.
Indes bewirken gerade die Gehorsamsverweigerung und die
durch keinerlei Moralvorstellung zu billigende Tötung des Tiers
dessen Erlösung und das Glück der Märchenheldin. In typisch
märchenhaften Extremen schlagen Wut und Ekel in Liebe sowie
Not in Glück um. Es ist dabei im Märchen nicht immer so, dass
»das Gute« belohnt und »das Böse« bestraft würde – denn was
ist am undankbaren und gewaltsamen Verhalten des Mädchens
dem Frosch gegenüber »gut«? Sie hat sich indes richtig verhalten, indem sie das Tier, in das die Anima (Lebenskraft, Seele) des
Partners verwandelt war, tötete: Erst dann kann dieser nach ani-
mistischen Vorstellungen – wonach die Seele nie stirbt, sondern
sich wieder verkörpert – seine menschliche Gestalt wiedererlan-
gen (in zwei Gestalten kann er nicht gleichzeitig existieren; vgl.
auch die Entwandlung der Ente in »Die drei Männlein im Walde«). In der handschriftlichen Fassung von 1810 hieß es an dieser Stelle: » . . . so fiel er herunter in das Bett und lag darin als ein

junger schöner Prinz, da legte sich die Königstochter zu ihm«. Das ließ der prüde Zeitgeist für ein (Kinder-)Märchen nicht zu, sodass nun erst eine förmliche Vermählung vorgeschaltet wurde (auch wird die Schönheit des Prinzen auf seine Augen beschränkt).

Der zweite Teil des Märchens dürfte ursprünglich nicht zu der Entwandlungsgeschichte gehört haben: Wilhelm Grimm hat sich in späteren KHM-Auflagen bemüht, den Zusammenhang plausibler zu machen: »Da erzählte er ihr, er wäre von einer bösen Hexe verwünscht worden, und niemand hätte ihn aus dem Brunnen erlösen können als sie allein.«

Zwei redensartliche Wendungen wurden erst 1837 in den Text eingefügt: »daß sich ein Stein erbarmen möchte« (7,24–25); »alter Wasserpatscher« (7,28). Der Vers »Heinrich, der Wagen bricht« wurde seinerseits sprichwörtlich.

»Der Froschkönig« gehört zum Dutzend der beliebtesten Grimmschen Märchen, zumal es auch stets die weit verbreitete Kleine KHM-Ausgabe eröffnete.

Gedichte zum Thema »Froschkönig« schrieben in diesem Jahrhundert u. a. Marie Luise Kaschnitz, Franz Fühmann, Günter Bruno Fuchs. Iring Fetscher verfasste 1972 seine halbparodistische Abhandlung *Froschkönig oder Die Überwindung des infantilen Narzißmus*. Die früheste durchgängige Illustration findet sich 1857 (Bilderbogen von Otto Speckter), 1954 brachte Lotte Reiniger ihren Silhouettenfilm heraus. Die neuerlichen zeichnerischen, meist witzig oder parodistisch angelegten Darstellungen heben fast ausschließlich auf das Erlösungsmotiv ab, das aber in diesem Medium fast immer in einen (in der Tat attraktiver darstellbaren) Kuss der Prinzessin abgewandelt erscheint.

BP I, S. 1–9; EM V, Sp. 410–424; Scherf, S. 356–361; W. Schoof: Der Froschkönig oder der eiserne Heinrich. Ein Beitrag zur Stilentwicklung des Grimmschen Märchens. In: Wirkendes Wort 7 (1957), S. 45–49; L. Röhrich: Wage es, den Frosch zu küssen, 1987.

2. Märchen von einem, der auszog, das Fürchten zu lernen (KHM 4)

In der KHM-Erstauflage von 1812 stand eine Kurzfassung mit dem Titel »Gut Kegel- und Kartenspiel«, die von den drei Spuk- und Probenächten handelt und mit der Hochzeit des Märchenhelden schließt; diese Fassung entspricht wohl damaliger mündlicher Tradition in Kassel, wie sie etwa in einer Ballade der Kasseler Dichterin Philippine Engelhard (*Spückemährchen*, 1782) greifbar ist. Nach 1812 kamen den Grimms noch mindestens fünf weitere Varianten zu, die sämtlich das »Fürchtenlernen« thematisieren. Wilhelm Grimm schuf eine Kontamination und veröffentlichte diese am 12. Januar 1818 in der Zeitschrift *Wünschelruthe*: Grundlage ist eine Einsendung aus Mecklenburg; die Ausgestaltung der Kegelszene ist einer vom Lehrer Ferdinand Siebert (1791–1847) aus Treysa in der hessischen Schwalm eingesandten Fassung entnommen, die Episode mit dem toten »Vetterchen« aus einer von Dorothea Viehmann erzählten Variante. Ungewöhnlich zahlreiche Motive lassen sich schon in der mittelalterlichen Überlieferung nachweisen; als eigenständiges Märchen begegnet die Geschichte erstmals in der 1550 erschienenen Novellensammlung von Giovan Francesco Straparòla (1480–1557) *Le piacevoli notti* (ital., *Die ergötzlichen Nächte*), eine weitere Fassung mit eindeutig archaischen und von Straparòla oder Grimm unabhängigen Zügen wurde 1852 in Island aufgezeichnet.

Im Titel blieb das Wort »Märchen« aus dem Zeitschriftenabdruck (innerhalb der KHM tautologisch) erhalten, vielleicht auch weil Wilhelm Grimm damit demonstrativ das durch ihn geschaffene Gattungskonglomerat als genuines Märchen reklamieren wollte. Die Geschichte beginnt mit einer ungewöhnlich breiten Schilderung der Umwelt (Geschichtenerzählen, Küsterhaushalt) und zeigt weiter realhistorische Züge (Galgenszene, Karten- und Kegelspiel) und keine typischen Märchengaben oder -helfer (die 50 Taler bleiben funktionslos; der Märchenheld muss alles ohne magische Hilfe leisten). Die ersten Episoden und der Schluss gehören eher zum Bereich des Schwanks, die Gespenstererscheinungen, die Erweckung des Toten und die Überwindung des »Unholds« zu dem der Sage.

Trotz dieser Disparatheit der Textprovenienz und der Gattungsvielfalt hat Wilhelm Grimm einen in sich stimmigen Märchenschwank über das Thema »Fürchten« geschaffen, indem er innerhalb des Textes märchengerecht ausschließlich auf das Phänomen des Gruselns anspielt – eine eher physische Erfahrung, die dem Jungen ja auch am Ende zuteil wird, denn eine Märchenfigur kann sich mangels entsprechender Gefühlsvoraussetzungen nicht im eigentlichen Sinn fürchten. Dazu müsste eine Todesahnung oder -erfahrung den Grund bereiten (bei Straparòla und in der isländischen Fassung wird dem Jungen – vorübergehend – der Kopf abgeschlagen, danach begreift er das Phänomen des Todes und kann sich fürchten). Zwar erhält der Junge eine Unmenge solcher »Angebote«, doch er geht handfest damit um, weil er Sterben und Tod nicht als irreversibel begreifen kann. Die Skala beginnt mit der Erwähnung des Friedhofs, reicht über den gleichgültig hingenommenen Tod des Küsters (ab der 5. KHM-Auflage von 1843 nicht themengerecht in einen Beinbruch gemildert!), den Umgang mit den Gehenkten, bis zu den verschiedensten Gespenster- und Totenerscheinungen im Spukschloss. Da diese Versuche alle erfolglos sein müssen, bleibt am Ende nur die (Schein-)Lösung des Problems »durch einen absurden Weiberspaß [. . .] meisterhaft erfunden« (Goethe).

Dass der Junge als »dumm« eingeführt wird, prädestiniert ihn überdies zu seiner Rolle: Er ist durch seinen Mangel an Furchtempfindung zweifellos noch unreif. Gerade durch diesen Zug erscheint er der germanischen Siegfried-Figur verwandt: der absolut Furchtlose, der am Ende seiner Lehrzeit einen Amboss spaltet. Eine weitere Parallele ist zu dem Entwicklungsroman in Versen *Parzival* (12./13. Jh.) des Chrétien de Troyes (um 1150– um 1190) bzw. Wolfram von Eschenbach (um 1170/80 – um 1220) gegeben: Der »tumbe« (und auch darum furchtlose) Parzival kennt die Phänomene des Todes und der Liebe nicht – später begegnet in diesen mittelalterlichen Epen das Motiv des fahrenden Bettes (vgl. 17,1). Dass die Totenerscheinungen immer an das Feuer des Jungen drängen, erinnert an die *Odyssee*, wo sich die Schatten in der Unterwelt um das Feuer des Odysseus scharen, aber erst durch seinen Anruf Erscheinung und Stimme gewinnen (vgl. hier 17,28).

Wilhelm Grimm hat seinen Text mit ungewöhnlich vielen sprichwörtlichen Wendungen durchsetzt, die zu dessen Popularität beitragen: »Hopfen und Malz verloren« (11,24–25), »siebene mit des Seilers Tochter Hochzeit halten« (13,30–31 – vgl. auch das Sprichwort »Sieben sind ein Galgen voll«), »in den Bart brummen« (14,35–15,1), »schönste Jungfrau, welche die Sonne beschien« (15,21 – vgl. auch 7,5–6), »fing sein altes Lied wieder an« (17,23), »wenn zwei zusammen im Bett liegen . . .« (18,34–35; nach dem Alten Testament, Pred 4,11 »Auch, wenn zwei beieinander liegen, wärmen sie sich; wie kann ein einzelner warm werden?«).

Die Rezeptionsgeschichte des KHM 4 ist vielfältig. Franz Graf von Pocci (1807–1876) schuf 1839 eine von Jacob Grimm gelobte illustrierte Fassung. Ludwig Bechstein stellte seine von Ludwig Richter illustrierte Bearbeitung unter dem Titel »Das Gruseln« ans Ende seines Märchenbuchs, Richard Wagner nahm das Thema in seinen *Siegfried* auf, Hans Christian Andersen einige Motive in sein Märchen »Der kleine und der große Klaus«; Wilhelm Raabe kommt ausführlich auf das Märchen in der Novelle »Der Weg zum Lachen« (1857) und im Roman *Meister Autor* (1874) zurück; Theodor Storm griff das Motiv des fahrenden Bettes in seinem Kunstmärchen »Der kleine Häwelmann« (1851) auf. Die sprichwörtlich gewordene Überschrift verwendeten 1978 Rainer Kirsch und 1979 Günter Wallraff als Gedicht- bzw. Buchtitel.

BP I, S. 27–37; EM V, Sp. 584–593; Scherf, S. 821–825; H. Rölleke: Märchen von einem, der auszog, das Fürchten zu lernen. In: ders.: »Wo das Wünschen noch geholfen hat«, 1985, S. 147–160.

3. Rapunzel (KHM 12)

Das Märchen findet sich seit der KHM-Erstausgabe von 1812 in der Grimmschen Sammlung. Es ist die verkürzte Redaktion einer Erzählung von Friedrich Schulz (1762–1798), die dieser 1790 in seinem Buch *Kleine Romane* veröffentlichte. Schulz übersetzte das 1697 in französischer Sprache erschienene Märchen »Persinette« der Mlle de la Force (um 1646–1724) zwar verkürzt, aber sonst mit nur peripheren Änderungen (z. B. wird aus der aphrodisierenden Petersilie Rapunzelsalat). »Persinette« basiert seinerseits auf dem italienischen Märchen »Petrosinella« von Giambattista Basile (1575–1632), das in der zwischen 1634 und 1636 postum edierten Sammlung *Pentamerone* publiziert wurde.

»Fr. Schulz erzählt dieses Märchen [. . .] nur zu weitläufig, wiewohl ohne Zweifel aus mündlicher Überlieferung«, merkte Jacob Grimm nicht ganz zutreffend zu seiner »Rapunzel«-Bearbeitung an, die ab 1819 Wilhelm Grimm weiterführte.

In der Schulzschen Fassung will die Fee das neugeborene Kind an sich bringen, um es vor den Folgen des Unglückssterns zu bewahren, der bei seiner Geburt schien: Dazu verbannte sie es als Zwölfjährige (im Mittelalter das heiratsfähige Alter der Mädchen) in einen von ihr gezauberten Turm (in etwa dem Dornröschen-Schicksal vergleichbar, die auch durch den Fluch einer Fee in einen Turm gebannt blieb, bis der Prinz sie erlöste). Die Folgen des zärtlichen Umgangs mit dem Prinzen waren in der KHM-Erstfassung noch parallel zur Quelle deutlich benannt: »So lebten sie lustig und in Freuden eine geraume Zeit, und die Fee kam nicht dahinter, bis eines Tages das Rapunzel anfing und zu ihr sagte: ›sag sie mir doch Frau Gothel, meine Kleiderchen werden mir so eng und wollen nicht mehr passen‹.« Dieser Hinweis auf die voreheliche Schwangerschaft rief öffentliche Kritik hervor, sodass sich Wilhelm Grimm schon 1819 zu einer Textänderung veranlasst sah: »So lebten sie [. . .] und hatten sich herzlich lieb wie Mann und Frau [. . .] und die Zauberin kam nicht dahinter ›[. . .] sie wird mir viel schwerer heraufzuziehen als der junge König‹« – eine recht ungeschickt formulierte Selbstanzeige (nebenbei machte Wilhelm Grimm aus der Fee eine Zauberin und aus dem Prinzen einen jungen König, um seine Fassung auch im Vokabular weiter vom französischen Valeur der Quelle abzurücken). In der dritten KHM-Auflage wird eine förmliche Trauung des Liebespaars im Turm eingefügt, dafür ist vom »lustigen Freudenleben« der beiden keine Rede mehr. Den Schluss der Vorlage, der erkennbar von der »Genovefa«-Legende beeinflusst ist (die verleumderisch des Ehebruchs bezichtigte

Gattin des Pfalzgrafen Siegfried von Brabant lebte mit ihrem Söhnchen Schmerzenreich sechs Jahre in einer Waldhöhle, bis ihr Gemahl sie dort findet und in Ehren wieder heimführt), hatte schon Jacob Grimm 1812 radikal verkürzt, so z. B. um das Motiv der Hilfe durch die mit den beiden versöhnte Fee, die die junge Familie mittels ihres Zauberwagens in das königliche Schloss zurückführt.

Das handlungsauslösende Motiv hat Jacob Grimm in seinem rechtshistorischen Werk *Deutsche Rechtsalterthümer* (1828) behandelt: »Bei den Germanen durften die schwangeren Frauen ihr Gelüst nach Obst, Gemüse auch an fremdem Eigentum befriedigen.« Hier rächt sich das zunächst in einer Szene, die entfernt an den Sündenfall im Garten Eden erinnert. Der Verzicht auf das ungeborene Kind als Unterpfand des eigenen Lebens findet sich häufig im Märchen (vgl. z. B. das Verhalten der Müllerstochter gegenüber Rumpelstilzchen, hier 72,26). Der Grund für die Verbannung des zwölfjährigen Rapunzel-Kindes in den Turm wird in der KHM-Fassung nicht recht klar; jedenfalls bewirkt sie wieder (vgl. die Waldszene in KHM 1 oder die siebenjährige Verbannung der Königstochter in einem Turm in KHM 198 »Jungfrau Maleen«) die schärfste Isolation der Märchenheldin, in der diese mit der numinosen Zauberin in engstem Kontakt lebt. Die Befreiung durch den Prinzen aus solcher Situation ist seit spätmittelalterlichen italienischen und französischen Novellen stereotyp und findet eine Parallele im »Dornröschen«-Märchen (KHM 50).

Trotz aller Bemühungen der Brüder Grimm, den Text motivlich und stilistisch dem genuinen Volksmärchen anzunähern (das sie für die Grundlage der Schulzschen Redaktion hielten), kann er seine Herkunft aus der Gattung der Feenmärchen nicht verleugnen. Dennoch (oder deshalb?) gehört »Rapunzel« zu den populärsten Grimmschen Märchen. Die bildkräftige Szene der lang vom Turm herabhängenden Haare findet sich als Bildmotiv zahlloser Karikaturen, Witz- sowie Werbezeichnungen und sogar auf Briefmarken. Gedichte zum »Rapunzel«-Thema schrieben u. a. Elisabeth Langgässer (»Mystischer Frühling«) und Ulla Hahn (»Auf und Davon«).

BP I, S. 97–99; Scherf, S. 969–973; M. Lüthi: Die Herkunft des Grimmschen Rapunzelmärchens. In: Fabula 3 (1960), S. 95–118; B. Lauer: Rapunzel. Tradition eines europäischen Märchenstoffes, 1993.

4. Die drei Männlein im Walde (KHM 13)

Das Märchen kam den Brüdern Grimm 1810 in einer von der Kasseler Apothekerstochter Dortchen Wild (1795–1867) erzählten Fassung zu; die Beiträgerin ergänzte diesen 1812 in der KHM-Erstauflage erschienenen Text um die zwei Eingangsverse des Entenspruchs. In der KHM-Zweitauflage von 1819 erhielt der Text bis auf kleinere stilistische Änderungen in späteren Auflagen seine endgültige Gestalt: Die erste Fassung wurde mit einer von Dorothea Viehmann überlieferten Version kontaminiert; die drastischen Verwünschungen der Schwester wurden nach einer Erzählung von Amalie Hassenpflug (1800–1871) in Kassel umformuliert (in der Erstfassung: dass sie »friere [. . .], daß sie alle Tage garstiger werde [. . .] daß sie eines unglücklichen Todes sterbe«; vgl. hier 28,2–6).

Gang der Handlung und Motivik verbinden dieses Märchen mit zahllosen anderen. Am deutlichsten ist die Verwandtschaft zu den Grimmschen KHM 11 (»Brüderchen und Schwesterchen«) und KHM 135 (»Die weiße und die schwarze Braut«): Mit diesem stimmt die Prüfungsszene zu Beginn überein (nur dass hier statt der »Haulemännerchen« in einer »verchristlichten« Sicht der »liebe Gott« agiert), die Verwandlung der Märchenheldin in eine Ente, nachdem sie durch die Stiefmutter ertränkt wurde, und ihre Entwandlung durch das Schwert des königlichen Bräutigams sowie das Motiv der untergeschobenen Braut; Letzteres begegnet ähnlich in KHM 11, wo indes die Tierverwandlung und -entwandlung der Heldin wenig märchengerecht auf das Brüderchen übertragen ist (der Tod der Heldin im Bad und ihre Wiedererweckung »durch Gottes Gnade« sind eindeutig die jüngsten Züge in der Überlieferungsgeschichte dieses Märchentyps). Ein durchgehender Vergleich der drei Märchen kann zu wesentlichen Einsichten in die altersmäßige und weltanschauliche Schichtung der Texte, aber auch zu der Frage führen, warum die in sich unstimmigste und zum Teil unmärchenhaft modernisierte Version, nämlich »Brüderchen und Schwesterchen«, gegenüber den beiden andern so ungeheuer populär war und blieb. Nach der eher grotesk dargebotenen Vorgeschichte über das (durch ein selbstverständliches Wunder) Zustandekommen der Ehe ist die Ausgangssituation – wie häufig im Märchen (vgl. z. B. KHM 24 »Frau Holle«) – die Beziehung zwischen der guten und der bösen Schwester und deren Verhältnis zu ihrer (Stief-)Mutter. In der Isolation des Waldes begegnen sie den numinosen Haulemännerchen (die trotz ihres Namens nicht in einer Höhle, sondern märchengerecht in einem »Häuschen« wohnen; vgl. auch das Hexenhaus in KHM 15). Die Haulemännerchen werden allein schon durch ihre Ausdrucksweise von den Grimms gleichsam in die germanische Zeit »hinaufdatiert« (vgl. die »W«-Alliterationen in 26,24–25). Die gute Schwester teilt das Letzte, woraufhin ihr wunderbar geholfen wird (vgl. im Alten Testament 1. Kön 17 oder auch das »Sterntaler«-Märchen KHM 153), sie handelt richtig und wird belohnt; die böse handelt falsch (auch weil sie als typische Märchenfigur, die nichts behalten kann, was über eine Episodengrenze hinausgeht, trotz genauer Handlungsanweisung offensichtlich alles vergessen hat, was sie tun sollte und wollte). In typischer Materialisierung wird der gute Charakter durch Goldstücke, der schlechte durch Kröten symbolisiert. In der nächsten Episode ist das Motiv schon wieder vergessen (»Ich bin ein armes Mädchen«, 28,23), um unvermutet doch noch einmal aufzutauchen (vgl. 29,12). Der Versuch, die gute Schwester zu ertränken, schlägt letztlich fehl: Zum einen sind alle Märchenhelden unsterblich, nie irreversibel tot oder im Jenseits, zum andern stirbt man nach altem Volksglauben nicht im Wasser, sondern wird (vorübergehend) verwandelt; dies lehrt ja auch der symbolische Tod im Taufwasser. Dass die Entwandlung des »Seelentiers« durch einen symbolischen Todesstreich des Königs über der Ente erfolgt, ist eine deutliche Sublimierung des Gemeinten (das Köpfen der Ente wird nicht mehr vollzogen, sondern nur noch symbolisch angedeutet): Die Ente muss getötet werden (wie in KHM 135), damit nach animistischer Vorstellung (s. S. 98) die Braut wieder in ihrer menschlichen Gestalt existieren kann, denn die Anima kann nicht in zwei Lebewesen gleichzeitig anwesend sein.

Die Selbstverurteilung der Übeltäterinnen am Ende ist häufig im Märchen; die Blindheit vor dem eigenen Fall erklärt sich wieder durch das den Märchenfiguren durchweg mangelnde Gedächtnis. Die scheinbare Grausamkeit der »gerechten« Strafe verliert dadurch an Schärfe; zudem wird sie nicht drastisch, sondern eher grotesk vor Augen geführt (»gekullert«; 30,12).

Eine Rezeption dieses tiefsinnigen, motiv- und symbolreichen sowie weithin stimmig erzählten Märchens ist durch die Popularität des verwandten »Brüderchen und Schwesterchen« und dessen attraktives Bild der Idylle von Schwesterchen und Rehkälbchen verhindert worden. Indes hat Thomas Mann es sehr geschätzt: In *Der Zauberberg* (1924) erzählt er einen Teil des Märchens nach, in der Romantetralogie *Joseph und seine Brüder* (1933–1942) heißt ein Zwerg »Haulemännchen«.

BP I, S. 99–109; EM II, Sp. 730–738; Scherf, S. 213–216; R. Hagen: Perraults Märchen und die Brüder Grimm. In: Zs. f. dte. Phil. 74 (1955), S. 392–410, bes. S. 395–397.

5. Hänsel und Grethel (KHM 15)

Wilhelm Grimms Niederschrift – in der handschriftlichen Sammlung von 1810 als Nr. 11 unter der Überschrift »Das Brüderchen und Schwesterchen« – geht wohl auf mündliche Überlieferung der Kasseler Apothekersfamilie Wild zurück. Der Text erschien 1812 (lediglich um stilistische Ausschmückungen erweitert) unter dem seither weltberühmten Titel, den Jacob Grimm in der Form »alias: Hänsel und Gretchen« schon in der Handschrift nachgetragen hatte. Unter Hinzufügung des Spruchs der Kinder am Hexenhaus (vgl. 34,9–10), den Dortchen Wild am 15. Januar 1813 beigetragen hatte, blieb der Text zwischen 1819 und 1840 nahezu unverändert, ehe er seit der fünften KHM-Auflage von 1843 durch einige Handlungsmomente und Motive ergänzt wurde, die einer von August Stöber 1842 veröffentlichten elsässischen Fassung entnommen wurden, die Wilhelm Grimm des Dialektes wegen für volksnäher hielt, obwohl sie nachweislich nur eine Umformung der KHM-Fassung mit einigen Zutaten ist.

Das Märchen ist in der europäischen Überlieferung früh und gut belegt, z. B. als »Nennillo e Nennella« in Basiles *Pentamerone* (1634–1636) oder als Däumlingsmärchen »Le petit poucet« der 1697 erschienenen *Contes de Fées* von Charles Perrault (1628–1703). Es geht um eine Aussetzungsgeschichte und um die Überwindung eines Menschenfressers. Erstere basiert auf der märchenüblichen Notlage des Helden zu Beginn – sie mag auch sozialgeschichtliche Erfahrungen spiegeln (obwohl das Eingangsmotiv von der »Teuerung« erst 1843 aufgenommen wurde) und darüber hinaus eine Ablösephase innerhalb eines Reifeprozesses (den die Märchen sehr oft thematisieren) drastisch exemplifizieren –, während Letztere kannibalistische Züge der Dämonen im Allgemeinen (vgl. auch »Rumpelstilzchen«) und der Hexen im Besonderen betonen (vgl. 34,27). Dazu bemerkt Johannes Praetorius (1630–1680) im Jahr 1668 in seiner *Blockes-Berges-Verrichtung*: »Belangend das Menschenfleisch fressen, ist dasselbe ohne Zweifel gewiß; und die Hexen sind von alten Zeiten her stets darauf vernascht gewesen.« Der dämonistische Volksglaube erklärt das zuweilen als sozusagen Leben verlängernde Maßnahme der Hexen: Die Lebenserwartung der verzehrten Kinder wird ihnen zugemessen.

Der Märchenheld ist hier in zwei Figuren aufgespalten, deren Einheit schon durch die lautliche Angleichung der Allerweltsnamen Hans und Grete betont wird (noch deutlicher im Titel von Basiles Geschichte). Im ersten Teil des Märchens repräsentiert Hänsel die Aktivität, im zweiten Grethel. In der Isolation des Waldes begegnen sie dem Numinosen im Häuschen (vgl. dazu 26,16–17). Als sich die Hexe von der scheinbar selbstlosen Lebensretterin der Kinder in deren mörderischen Gegenspieler wandelt (parallel dem Verhalten der Mutter, die ihre Kinder erst nährend aufgezogen und dann dem scheinbar sicheren Tod preisgegeben hatte), wird sie durch Grethels Klugheit und ihre eigene Dummheit überwunden und stirbt den typischen Hexentod durch Verbrennen, wobei der Märchenheld eindeutig in Notwehr handelt.

Wilhelm Grimm hat in den Text ungewöhnlich viele sprichwört-
liche Wendungen eingefügt, was zu dessen großer Popularität
beigetragen hat: »beißen und brechen« (30,17), »übers Herz
bringen« (30,28), »ist es um mich geschehen« (31,5–6); schon
früh und erst recht seit Goethes »Fischer«-Ballade sprichwörtlich), »zu Herzen gegangen« (32,19–20), »fiels schwer aufs
Herz« (32,30).

»Hänsel und Grethel« gilt weltweit als das »deutscheste« aller
Märchen und steht in der Beliebtheitsskala beständig an erster
oder zweiter Stelle. Entsprechend ist auch die vielfältige Rezeptionsgeschichte unübersehbar groß. Von deutschsprachigen
Schriftstellern haben so unterschiedliche Größen wie Wilhelm
Raabe und Karl May das Märchen gleichermaßen nacherzählt;
Gottfried Keller hat sein Kunstmärchen »Spiegel, das Kätzchen«
(1856) aus seiner Novellensammlung *Die Leute von Seldwyla*
erkennbar daran angelehnt; 1963 verfaßte Hans Traxler eine
glänzende Wissenschaftsparodie *Die Wahrheit über Hänsel und
Gretel*, Wolfgang Sembdner übertrug das Märchen meisterhaft
in den Stil verschiedenster Schriftsteller (*Grimmskrams. Paro-
distische Hänseleien*). Engelbert Humperdincks Märchenoper
von 1893 wurde zur berühmtesten ihres Genres. Für die Kleine
KHM-Ausgabe schufen (seit 1825) Ludwig Emil Grimm und
Ludwig Pietsch Illustrationen; Ludwig Richter illustrierte das
Bechsteinsche (auf Stöbers Version basierende) Märchen, er
schrieb und bebilderte später noch eine eigene Fassung wie vor
ihm schon Pocci. Das Märchen ist auch fast ununterbrochen in
Bildgeschichten und -witzen präsent, es fehlt in keinem Mär-
chenwald und dürfte das durch Film, Video und Hörspiel ver-
breitetste aller KHM sein.

BP I, S. 115–126; EM VI, Sp. 498–509; Scherf, S. 548–554; H. Rölleke: August Stöbers Einfluß auf die Märchen der Brüder Grimm. In:
Fabula 24 (1983), S. 11–20.

6. Aschenputtel (KHM 21)

Eine erste Fassung des Märchens war den Grimms über eine alte
märchenkundige Frau im Marburger Elisabeth-Hospital, die
Clemens Brentano entdeckt hatte, zugekommen. Wilhelm
Grimm, dem die Frau direkt keine Märchen mitteilen wollte,
erhielt auf Umwegen zwei Niederschriften ihrer Erzählungen,
die als verschollen gelten. Der 1812 veröffentlichte Text dürfte
dieser Fassung weitgehend entsprechen; für die KHM-Zweitauflage wurde das Märchen mit drei weiteren Fassungen nach
mündlicher Überlieferung kontaminiert, von denen eine auf Dorothea Viehmann aus Zwehrn bei Kassel, eine andere auf Heinrich Leopold Stein (1782–1836) aus Frankfurt am Main zurückgeht.

»Aschenputtel« gehört nicht nur zu den beliebtesten Märchen
der Grimms, sondern auch der Weltliteratur. Es begegnet mit
allen wesentlichen Zügen schon früh schriftlich unter Namen
wie »Cenerentola«, »Cendrillon«, »Cinderella« u. a. bei Basile,
Perrault und Madame d'Aulnoy (1650–1705). Seine frühe Be-
kanntheit im deutschsprachigen Raum bezeugen u. a. Anspielungen in Martin Luthers Tischreden wie in der Literatur des
16. Jahrhunderts. Die Brüder Grimm merkten an: »Es gab sonst
ein Märchen, wo Aschenbrödel ein von stolzen Brüdern verach-
teter *Knabe* war [. . .] Rollenhagen in der Vorrede zum
Froschmeuseler erwähnt es unter den wunderbarlichen Haus-
märlein: ›von dem verachteten, frommen *Aschenpößel* und seinen stolzen, spöttischen Brüdern‹.« Die frühen Erwähnungen
bezeugen nicht nur eine alte mündliche Tradition dieses Märchens, sondern auch die interessante Tatsache, dass die Aschen-
puttelrolle in Deutschland bis ins 18. Jahrhundert hinein männlich besetzt war (erst als Frauen die mündliche Märchentradition zu dominieren begannen, erzählten sie das Märchen um,
und zwar im Blick auf ihre eigene gesellschaftliche und familiäre
Rolle sowie ihre Interessenlage). Die ungewöhnliche Aktivität
und Listigkeit, mit der sich die Märchenheldin aus ihrer unver-
schuldeten Not- und Mangellage zu befreien und sich mit jensei-
tiger Hilfe den Prinzen zu erobern weiß (mit dem sie schließlich
auch noch ein sehr überlegenes Spiel treibt!), macht sie zum Pro-

totyp einer emanzipierten jungen Frau. Ob weibliche Rezipientinnen daraus Mut für entsprechendes Denken und Verhalten schöpften oder Aschenputtel eher als Surrogat, als Ersatz für die eigene Unmöglichkeit oder Unfähigkeit ihrer Selbstverwirklichung auffassten, steht dahin, entscheidet aber weithin über die Frage, ob Märchen generell hinsichtlich gesellschaftlicher Normen stabilisierend oder revolutionär sind.

Märchenheldin ist wie häufig eine hier besonders weidlich verachtete und ausgenutzte Stieftochter, der indes in ihrer Isolation am Aschenherd oder am Grab ihrer Mutter das Numinose begegnet und in Form des selbstverständlich angenommenen Märchenwunders zu Hilfe eilt. Sie weiß damit richtig umzugehen, was sich u. a. daran zeigt, dass sie die Helfer oder Gabenspender in Versform anredet (vgl. dazu auch »Sneewittchen« und viele andere Szenen in den KHM, wo das Numinose – als Gestalt oder Gegenstand – in Versen angesprochen wird). Ursprünglich war wohl – wie auch in der KHM-Erstauflage – der Baum (aus dem vom Vater mitgebrachten und von Aschenputtel gepflanzten Reis auf dem Grab der Mutter gewachsen) der numinose Helfer, denn er wird ja um die Festkleider angesprochen (ein Motiv, das so schon im altindischen »Śakuntala«-Drama aus dem 5. Jahrhundert begegnet); in ihm lebt nach animistischer Vorstellung die Seele der Mutter weiter – die christliche Überfirnissung der Sterbeszene am Märchenanfang bleibt ein stumpfes Motiv (sie gehört innerhalb der Märchenüberlieferung natürlich zu jüngeren, häufig anzutreffenden Überformungen, die zu solchen Vermischungen zwischen märchenhafter und christlicher Weltanschauung führen). Indes sind anstelle des Baumes die Tauben zu Animaträgern geworden, wohl auch weil diese im Märchen gewöhnlich (Wasser-)Vögel sind (vgl. auch »Die drei Männlein im Walde«).

Für die außerordentliche Wirkungsgeschichte des »Aschenputtel«-Märchens können hier nur wenige Beispiele genannt werden: Christian Dietrich Grabbe, August von Platen und Robert Walser sowie viele andere Dichter verfassten Märchenspiele; Carlo Goldoni schrieb ein Opernlibretto, welches unter dem Titel *Buona figliuola* 1760 in Rom uraufgeführt wurde, und Clemens Brentano plante ein Opernlibretto; Nicolas Isouard

(1810), Gioacchino Rossini (1817), Jules Massenet (1899) und andere komponierten »Aschenputtel«-Opern, Johann Strauß (1901) und Sergei Sergejewitsch Prokofjew (1945) »Aschenputtel«-Ballette. Illustrationen finden sich schon in der Kleinen KHM-Ausgabe seit 1825 (L. E. Grimm, L. Pietsch), Moritz von Schwind schuf einen Bilderzyklus (1852/54). In Frankreich wurde 1899 mit »Aschenputtel« der erste Märchenfilm überhaupt gedreht; Lotte Reiniger und Walt Disney setzten 1922 bzw. 1960 das Märchen in Silhouetten- bzw. Zeichentrickfilme um. Der Name der Titelheldin (nach Ludwig Bechsteins hochdeutscher Variante auch »Aschenbrödel«) hat als Begriff nicht nur Eingang in den deutschen Sprachschatz, sondern (als »Aschenputtel-Syndrom«) sogar in die psychologische Fachsprache gefunden.

BP I, S. 165–188; EM III, Sp. 39–57; Scherf, S. 431–446; H. Bausinger: »Aschenputtel«. In: Zs. f.Volkskde. 52 (1955), S. 144–155; H. Rölleke: Die Marburger Märchenfrau. In: Fabula 15 (1974), S. 87–94.

7. Frau Holle (KHM 24)

In der KHM-Erstauflage erschien eine erste Fassung des Märchens; sie wurde am 13. Oktober 1811 von der Kasseler Apothekerstochter Dortchen Wild beigetragen. Hier fehlen noch die Motive des Spinnens am Brunnen und der Begrüßung der auf die Erde zurückkehrenden Mädchen durch den Hahn, die nach einer durch den Pfarrer Georg August Goldmann aus Hannover (1785–1855) beigetragenen Version in den KHM-Text von 1819 interpoliert wurden.

Der Titel nennt ausnahmsweise nicht den Märchenhelden, sondern die numinose Gestalt (so auch im KHM 55 »Rumpelstilzchen«), an der die Brüder Grimm besonderes Interesse wegen ihrer Lokalisierung im Hessischen und wegen ihrer Herkunft aus der germanischen Mythologie hatten: Während sie aber für ihre Sammlung *Deutsche Sagen* von 1816 eine ganze Reihe von »Holle«-Texten gewinnen konnten, blieb ihre lebenslange Suche nach weiteren Märchenvarianten merkwürdigerweise erfolglos.

Ein der Grimmschen Erstfassung sehr nahe stehendes Märchen hatte allerdings schon 1789 Christiane Benedicte Naubert (1756–1819) in ihren *Volksmährchen der Deutschen* veröffentlicht (»Der kurze Mantel«).

Die Struktur des Märchens von den beiden gegensätzlichen Schwestern (die Ludwig Bechstein später als »Goldmarie« und »Pechmarie« auch gegensätzlich benannte), ihrem Verhältnis zur (Stief-)Mutter und ihrer unterschiedlichen Bewährung im numinosen Bereich, d. h. auch Belohnung und Bestrafung, stimmt mit KHM 13 »Die drei Männlein im Walde« überein. Allerdings ist – auch im Blick darauf – der fragmentarische Charakter des Grimmschen Märchens nicht zu übersehen: Die Rückkehr zur Stiefmutter kann nicht das endgültige Happyend der Märchenheldin sein; es müsste sich die Hochzeit mit einem König o. ä. anschließen – eben wie in KHM 13 oder auch 11 und 135.

Das Märchen illustriert den unterschiedlich verlaufenden Reifungsprozess zweier junger Mädchen mit zahlreichen Mythologemen, Symbolen und Motiven. Das Spinnen (vgl. auch »Dornröschen«) kann symbolisch als Herstellung des Lebensfadens aufgefasst werden; das (Brunnen-)Wasser ist Durchgang zur Unterwelt (vgl. »Der Teufel mit den drei goldenen Haaren«); die »Reifeprüfung« ist wie in fast allen entsprechenden Märchen mit einer Todeserfahrung verknüpft (Sprung in den Brunnen, Ankunft bei der Totengöttin Hel oder Holle), Brot, Äpfel und vor allem das Zurechtkommen mit dem (Ehe-)Bett sind Fruchtbarkeitssymbole; der Hahn als Symbol des Männlichen erklärt die Mädchen bei ihrer Rückkehr auf die Erde als »reif« bzw. als noch »unreif«; der Schnee des Winters kommt aus der Unterwelt (wie im antiken Proserpina-Mythos ist es auf Erden Winter, wenn die Göttin während eines Jahresdrittels in der Unterwelt weilt; dort muss sie u. a. bleiben, weil sie in der Unterwelt einige Granatapfelkerne aß, woran im »Holle«-Märchen die Äpfel erinnern). Durch die Fußnote (die einzige in den KHM überhaupt!) bringen die Brüder Grimm zum einen eine hessische Redensart ein, an der ihnen sehr gelegen war, zum andern gewinnt dadurch aber auch der Unterweltsmythos einen etwas heimeligen, fast biedermeierlich idyllischen Zug, der durch entsprechende Illustrationen (reinliche Federbetten im geöffneten Butzenscheibenfenster) permanent verstärkt wurde.

»Frau Holle« gehört zu den frühesten Bilderbogengeschichten (um 1850), welche eine Text und fortlaufende Illustrationen verbindende Vorform der Comics darstellen, und bildete das erste Heft der Erfolgsserie *Das Märchenbuch des Jungbrunnen* (Bernhard Wenig, 1900). Ferdinand Hummels »Frau Holle«-Oper von 1870 war längere Zeit überaus beliebt. Die zahlreichen Verfilmungen übernahmen in der Regel nur das Grundgerüst des Märchens als Basis für eigenwillige Weiterführungen und Interpretationen.

BP I, S. 207–227; EM V, Sp. 159–168; Scherf, S. 342–346.

8. Rotkäppchen (KHM 26)

Das Märchen steht – als einziges aller KHM – in allen Auflagen von 1812 bis 1857 in zwei Versionen im Textteil der Grimmschen Sammlung. Die erste Version wurde von Jeanette Hassenpflug (1791–1860), die zweite durch deren Schwester Marie (1788–1856) beigetragen. Die Schwestern waren in Hanau geboren und 1799 nach Kassel übergesiedelt; daher kennzeichneten die Brüder Grimm ihre Beiträge, deren sie sich aus ihrer Kindheit erinnerten, als »aus den Maingegenden« zugekommen, während sie ihr in Kassel erworbenes Repertoire »hessisch« nannten. Bei »Rotkäppchen« rekurrierten sie auf erstere Provenienz. Da die Schwestern mütterlicherseits von hugenottischen Einwanderern stammten, ist ihr frühes Repertoire deutlich von der französischen Märchenüberlieferung (wie sie vor allem Perrault Ende des 17. Jahrhunderts festgehalten und gestaltet hatte) beeinflusst. So geht denn auch die erste Version erkennbar auf Perraults berühmtes und mannigfach bearbeitetes Märchen »Le petit chaperon rouge« von 1697 zurück, das Ludwig Tieck 1800 dramatisiert hatte. Bei Perrault kommt Rotkäppchen durch den als männlichen Verführer gezeichneten Wolf zu Tod: eine drastische Warnung an leichtgläubige und -sinnige Mädchen. Tieck führt den rettenden Jäger ein, der das Grimmsche Happyend garantiert.

Der sprechende Name »Rotkäppchen« begegnet zuerst 1790 in

der »Blauen Bibliothek« (vgl. Erläuterungen zu 31,30–31) in deutscher Sprache: Er betont die Typenhaftigkeit der Märchenheldin. Sie missachtet das eindeutige Verbot der Mutter und erlebt dadurch ihr Märchenabenteuer, während dessen ihr Reifeprozess im Durchgang durch den Tod anscheinend zum Abschluss kommt. Der Gegenspieler kommt wie sein Artgenosse bei den sieben Geißlein zu Tode. Der Schlusssatz der ersten Variante (vgl. 50,10–13) ersetzt die abschließende Warnmoral Perraults, er deutet eine Lern- und Reflexionsfähigkeit der Märchenheldin an, die durchaus untypisch für das Märchen ist.

Pocci machte aus dem Märchen 1855 eine Kasperlekomödie, Peter Tschaikowski komponierte 1888 eine Oper, Walt Disney produzierte 1934 einen Kurzfilm. Der irische Regisseur Neil Jordan drehte 1984 nach einer Kurzgeschichte von Angela Carter den Film *Die Zeit der Wölfe*, in dem er das Volksmärchen – basierend auf den Erkenntnissen der Psychoanalyse und versehen mit den Symbolen der Traumdeutung – auf seine sexuellen Komponenten hin befragt und es als Darstellung der Initiation, der Verwandlung und Einweihung in den Zustand der nicht nur körperlichen Reife, interpretiert.

Schon für die Kleine KHM-Ausgabe schufen L. E. Grimm (1825) und L. Pietsch Illustrationen. Die Figuren Rotkäppchens und des ungleichen Paars bei der Begegnung im Wald sind weltbekannt geworden, sodass sie immer wieder in Illustrationen, Parodien und in der Werbung begegnen. In diesem Zusammenhang sind auch die im Blick auf die Text- und Überlieferungsgeschichte unhaltbaren Versuche zu werten, das Märchen wegen gewisser Analogien der Mädchentrachten in der hessischen Schwalm oder in der Uckermark zu lokalisieren.

BP I, S. 234–237; Scherf, S. 996–999; H. Ritz: Die Geschichte vom Rotkäppchen, 1981 ([12]1997), J. Zipes: Rotkäppchens Lust und Leid, 1982.

9. Der Teufel mit den drei goldenen Haaren (KHM 29)

Eine erste Fassung dieses Märchens war in der KHM-Erstauflage von 1812 unter dem Titel »Vogel Phönix« erschienen; Marie Hassenpflug hatte sie beigetragen. Ihre Schwester Amalie
(1800–1871) hatte eine dem zweiten Teil des Märchens entsprechende Version unter dem auch in die späteren KHM-Auflagen übernommenen Titel erzählt; aus dieser Fassung wurden
einige Einzelheiten in die in der KHM-Zweitauflage von 1819
gebotene Version übernommen, welche ansonsten gänzlich auf
Dorothea Viehmann zurückgeht. Schon diese Überlieferungsgeschichte zeigt, was ein Blick auf das Märchen selbst bestätigt:
Es besteht aus zwei auch selbständig auftretenden Geschichten,
wobei die erste traditionsgemäß mit der königlichen Heirat des
Märchenhelden endet. Sie begegnet so bereits in der mittelalterlichen Novellensammlung *Gesta Romanorum* (vgl. Grimms
Deutsche Sagen Nr. 480: »Sage von Kaiser Heinrich III.«).
Das Märchen stellt im ersten Teil einen durchaus passiven Helden vor, der indes im zweiten Teil eine immense Aktivität entwickelt, nicht nur sich selbst hilft, indem er die scheinbar unlösbare Aufgabe bewältigt, mit heiler Haut und Beute aus der Hölle
zurückzukehren, sondern indem er auch zum Helfer anderer
wird, deren Fragen er beantwortet. Vielleicht sind die beiden
Geschichten im Lauf der Tradition zusammengefügt worden,
weil männliche Märchenhelden (im Gegensatz zu manchen
weiblichen, vgl. etwa »Dornröschen«), wohl auch aufgrund der
gesellschaftlich vorgegebenen Rollenerwartung, ihr Glück nie
durch bloße Passivität erreichen.
Besonders der erste Teil ist durch einen schier atemberaubenden
Wechsel von Unglück und Glück strukturiert, was schon im Ge-
burtsvorgang vorgebildet ist: Die sog. »Glückshaut« bedroht
das Leben des Neugeborenen, das indes, wenn es dieser Gefahr
entkommt, zum Glück prädestiniert ist. Der König kauft das
Kind (ein Glück für die armen Eltern und scheinbar für das
Kind), um es zu ertränken (Unglück), es wird gerettet (Glück),
aber von einem Müller (normalerweise Unglück; vgl. z. B.
»Rumpelstilzchen«); der König bietet dem Jungen für einen
simplen Botengang viel Geld (Glück), aber es ist das Todesurteil

(Unglück); der Junge verirrt sich (Unglück), aber er sieht ein Häuschen (Glück); er fällt in Mörderhände (Unglück), aber die Räuber erbarmen sich seiner (Glück). Im zweiten Teil bestätigt sich sein Märchenglück endgültig, während sein Widersacher bestraft wird, sodass der »naiven Moral« des Märchens entsprochen ist.

Die eindrucksvollste Illustration schuf Maurice Sendak, der für des Teufels Ellermutter Ludwig Emil Grimms Porträt der Dorothea Viehmann (also der Erzählerin dieses Märchens!) verwendete.

BP I, S. 276–293; EM VI, Sp. 343–348; Scherf, S. 1181–1186.

10. Dornröschen (KHM 50)

In der Sammlung von 1810 findet sich Jacob Grimms Niederschrift einer ersten, relativ kurzen Fassung des Märchens. Sie geht auf einen Beitrag Marie Hassenpflugs zurück; am Ende vermerkte er zu Recht: »aus Perrault's Belle au bois dormant«. Da die Geschwister Hassenpflug mütterlicherseits einer Hugenottenfamilie entstammten, ist ihre Vertrautheit mit der französischen Märchentradition (vor allem mit der Sammlung Perraults von 1697) leicht erklärlich. Wilhelm Grimm hat bei den späteren Überarbeitungen den Text erkennbar dessen eigentlicher Quelle immer stärker angenähert.

Den Grimms war das Märchen besonders wichtig, weil sie hier eine deutliche Parallele zum germanischen Mythos um Brünhildes Zauberschlaf zu erkennen glaubten: Odin, Herr und König über Götter und Menschen, hatte die Walküre wegen Ungehorsams mit dem Schlafdorn gestochen und sie hinter einem Feuerwall verborgen; sie erwachte erst nach langer Zeit, als der furchtlose Siegfried den Weg zu ihr durch das Feuer fand. Ob von hier eine ungebrochene Traditionskette zu entsprechenden Motiven in mittelalterlichen Erzählungen oder gar zum Märchen »Sonne, Mond und Talia« in Basiles *Pentamerone* von 1634 führt, in dem sich die Titelheldin mit einer Hanffaser in den Finger sticht und in einen todesähnlichen Schlaf verfällt, ist umstritten. Basile spielt mit seinen Namengebungen tatsächlich eher auf den griechischen Mythos (Persephone; Paliken) an: Talia ist – ähnlich der Persephone – eine Fruchtbarkeitsgöttin, die ihr Liebhaber Zeus im Schoß der Erde verbarg, bis sie – genau wie die Basilesche Talia! – Zwillinge gebar, und zwar die Paliken; wenn Talia bzw. Persephone in der Unterwelt weilt, ist es auf Erden Winter, der jeweils mit ihrer Wiedererweckung endet.

Das Zentralmotiv des hundertjährigen Schlafs ist das bedeutendste Beispiel für die Zeitlosigkeit des Märchens; die Handlung geht wie bei einem angehaltenen Film weiter und das Märchenpersonal ist um keinen Tag gealtert. Zugleich ist die immer wieder anzutreffende Isolation der Märchenhelden in ihrer Reifezeit (denn sie sind ja in der Regel nach dem Durchgang durch diesen Zustand heiratsfähig) hier eindrucksvoll auf die Spitze getrieben: Dornröschen ist nicht nur hundert Jahre allein im unzugänglichen Turmgemach, sondern sie verbringt diese Zeit auch in einem sie vor jeder zwischenmenschlichen Begegnung isolierenden Schlaf. Man hat vermutet, in dieser und ähnlichen Turmszenen der Märchen hätten sich Reminiszenzen an alte Pubertätsriten (sog. »Pubertätshütte« bei den Naturvölkern) erhalten. Dass ein Spindelstich den Reifeprozess ähnlich wie in »Frau Holle« einleitet, könnte als entsprechendes Symbol gedeutet werden, zumal Basile die sexuelle Komponente insofern betonte, als der Prinz die Schlafende schwängert und diese erst erwacht, als ihr eines der von ihr geborenen Zwillingskinder die Schlaf auslösende Hanffaser aus dem Finger saugt.

Die Rezeptionsforschung kann über 50 Vertonungen des Märchens nachweisen (darunter Opern und Ballette von Sergej Rachmaninow, Peter Tschaikowski und Hans Werner Henze) und allein im Zeitraum zwischen 1855 und 1924 insgesamt 22 Bühnendichtungen (z. B. von Ricarda Huch oder Robert Walser). In Gedichten aus neuerer Zeit hält »Dornröschen« den Spitzenplatz unter den Märchenfiguren (Erich Kästner, Franz Fühmann, Sarah Kirsch, Peter Hacks, Josef Reding u. v. a.). Die Illustrationen beginnen mit Ludwig Emil Grimms Ausstattung der Kleinen KHM-Ausgabe von 1825; Wilhelm Grimm rühmte Eugen Napoleon Neureuthers »Dornröschen«-Märchenblatt von 1835; von den unzählbaren anderen Illustratoren seien nur Ludwig Richter und Wilhelm Busch als bedeutendste genannt.

BP I, S. 434–444; Scherf, S. 172–177; A. Romain: Zur Gestalt des Grimmschen Dornröschenmärchens. In: Zs. f.Volkskunde 42 (1933), S. 84–116; J. de Vries: Dornröschen. In: Fabula 2 (1958), S. 110–121.

11. Sneewittchen (KHM 53)

Eine erste, gegenüber dem vorliegenden Text um die Hälfte kürzere Fassung hatte Jacob Grimm schon 1808 höchstwahrscheinlich nach einem Beitrag Marie Hassenpflugs in Kassel niedergeschrieben. Hier heißt die Märchenheldin noch »Schneeweißchen«; sie wird von ihrer Mutter höchstpersönlich im Wald ausgesetzt und schließlich durch die Ärzte ihres Vaters wieder zum Leben erweckt (ob sich in diesem Schlussmotiv eine Anspielung auf einen möglichen Inzest – vgl. dazu den Beginn des »Allerleirauh«-Märchens – findet, lässt sich vor allem im Hinblick auf den von Jacob Grimm gleichzeitig festgehaltenen »Anderen Anfang« erwägen, wo das königliche Ehepaar ein wunderschönes Mädchen in seine Kutsche aufnimmt, in das der König sich verliebt, woraufhin es die Königin im Wald aussetzt). Im KHM-Erstdruck von 1812 wurde diese Fassung mit einer Einsendung Ferdinand Sieberts aus Treysa in der hessischen Schwalm kontaminiert; hier erwacht Sneewittchen durch den Schlag eines Dieners, der sich über die Nekrophilie seines prinzlichen Herrn, über dessen Hinwendung zu einer Toten, empört. Das seit der KHM-Zweitauflage von 1819 begegnende Motiv des Stolperns der Knechte geht auf eine von Heinrich Leopold Stein (1782–1836) aus Frankfurt am Main beigetragene Version zurück. Ältere Versionen des Märchens finden sich 1634 in Basiles *Pentamerone* (»Die Küchenmagd«), in den zwischen 1782 und 1786 erschienenen *Volksmärchen der Deutschen* von Johann Karl August Musäus (»Richilde«) sowie 1808 in einem Märchendramolett von Albert Ludwig Grimm.

Das Märchen schildert einen Ablösekonflikt zwischen eifersüchtiger Mutter und Tochter, dessen Aussagen allerdings Wilhelm Grimms 1819 eingeführte Änderung der Mutter in eine Stiefmutter (vgl. zu »Hänsel und Grethel«) verwischt hat; dass die angebliche Stiefmutter die pränatal von der Mutter zu sich selbst gesprochene Formel wörtlich wiederholen kann (vgl. 62,10–11 und 68,35–69,1), macht die wenig sinnvolle Textänderung evident. Dass der Reifeprozess der Märchenheldin wieder mit einem Isolations- und Todeserlebnis verbunden ist, verdeutlicht der Scheintod; Glassarg und Behütung durch Zwerge hinter sieben Bergen weisen ihrerseits symbolisch auf das Totenreich hin (vgl. dazu KHM 25 »Die sieben Raben« mit denselben Motiven).

Unter den zahllosen Bearbeitern dieses wohl zu allen Zeiten beliebtesten aller KHM sind etwa die Schriftsteller Ludwig Aurbacher, Franz Graf von Pocci, Ludwig Bechstein und Theodor Storm zu nennen. 1825 schuf Ludwig Emil Grimm eine Illustration für die Kleine KHM-Ausgabe; es folgten u. a. fünf Holzschnitte von Ludwig Richter; die Münchener Bilderbogen besetzten ihre Nr. 1000 durch zwei große Bilderbogen von Herrmann Vogel. Nach einer frühen Verfilmung von 1907 schuf Walt Disney mit seinem ersten abendfüllenden Zeichentrickfilm von 1937 den Klassiker dieses Genres. Musikalische Umsetzungen sind gemessen an der sonstigen Popularität des Märchens eher selten (Opern von Clemens Schmalstich und F. Schuschnigg, Chorwerke von Joseph Joachim Raff, Carl Reinecke und Max Karl Christian Erdmannsdörfer).

BP I, S. 450–464; Scherf, S. 1127–1133.

12. Rumpelstilzchen (KHM 55)

Jacob Grimms früheste Niederschrift des Märchens von 1808 geht auf mündliche Tradition zurück, die er pauschal als »hessisch« bezeichnet hat. Im KHM-Erstdruck von 1812 findet sich dann eine Kontamination aus Beiträgen der Kasseler Apothekerstochter Dortchen Wild und der mütterlicherseits von einer französischen Hugenottenfamilie stammenden Geschwister

Hassenpflug. Das Schlussmotiv vom sich selbst zerreißenden Dämon begegnet erst in der KHM-Zweitauflage von 1819 nach einer von Lisette Wild (1782–1858) beigetragenen Variante. 1705 hatte Mlle L'Héritier (1664–1734) eine verwandte Fassung unter dem Titel »Ricdin Ricdon« veröffentlicht, die zumindest den Geschwistern Hassenpflug bekannt gewesen sein dürfte (eine deutsche Übersetzung von Johann Gottwerth Müller erschien 1790 im 2. Band seiner *Straußfedern*).

Im Mittelpunkt des kunstvoll zweiteilig aufgebauten Märchens (der erste Teil endet – vgl. auch die Struktur im KHM 29 »Der Teufel mit den drei goldenen Haaren« – scheinbar glücklich mit der Hochzeit) steht die Auseinandersetzung der Müllerstochter mit einem dämonischen Wesen; es will anscheinend die Gefahren, die von Dämonen ausgehen, aber auch Gesetzmäßigkeiten aufzeigen, unter denen sie stehen, und damit Andeutungen zu ihrer Überwältigung geben. Der Dämon Rumpelstilzchen kann so als Personifizierung des Phänomens der (in früheren Zeiten eminent hohen) Säuglingssterblichkeit verstanden werden, die medizinisch unerklärlich war. Der Dämonismus erklärt sie mit der Existenz und Eigenart bestimmter Dämonen, die das Neugeborene wegholen, um es zu verspeisen, oder die ihr eigenes missgestaltetes Kind gegen den neugeborenen Menschen austauschen (sog. Wechselbalg). Wie die Hexe in »Hänsel und Grethel« bedarf wohl auch Rumpelstilzchen immer wieder menschlicher Kinder zu seiner Nahrung (vgl. die Andeutung in seinem Spruch: 73,26–29). Es war ein weit verbreiteter und ist in Resten ein bis heute anzutreffender Volksglaube, dass man den Dämon nicht zu früh auf die Existenz eines Neugeborenen hinweisen dürfe, indem man etwa seinen Namen in der ersten Lebenswoche laut aussprÄche – diese Geisterfurcht vermengte sich synkretistisch, indem sich nämlich dämonistische und christliche Weltanschauungen mischen, mit dem Taufzeremoniell: Erst in der Taufe wird der Name genannt, denn jetzt ist das Kind offenbar der ersten Gefährdung entwachsen. Das Märchen empfiehlt auf diesem Hintergrund gleichsam die Gegenoffensive: Indem der Mensch seinerseits den Namen des Dämons herausfindet und in dessen Gegenwart ausspricht, hat dieser das Spiel verloren oder er muss sich sogar selbst vernichten.

Das Märchen zeichnet zunächst ein den früheren Rollenerwartungen entsprechendes Frauenbild, das sich durch gänzliche Passivität und Abhängigkeit von drei männlich besetzten Instanzen (Vater, Bräutigam, Dämon) auszeichnet. Als die Heldin indes zum ersten Mal aktiv wird (vgl. 73,10), gelingt ihr die Rettung ihres Kindes.

Nach einigen wenig gelungenen Dramatisierungen wird das Märchen gegenwärtig häufig in Gedichtform rezipiert (z. B. Franz Fühmann und Franz Josef Degenhardt). Schon 1823 hatte George Cruikshank das Märchen illustriert; neuerlich sind besonders die Zyklen von David Hockney und Edward Govey (1973) zu erwähnen.

BP I, S. 490–498; Scherf, S. 1000–1005; M. Lüthi: Rumpelstilzchen. In: Antaios 12 (1971), S. 419–436; L. Röhrich: Rumpelstilzchen. In: Schweiz. Archiv f. Volkskunde 68/69 (1972/73), S. 567–596.

13. Jorinde und Joringel (KHM 69)

Die Brüder Grimm übernahmen das Märchen fast unverändert aus Johann Heinrich Jung-Stillings (1740–1817) pietistisch geprägtem autobiographischen Roman *Henrich Stillings Jugend. Eine wahrhafte Geschichte* von 1777 in ihre KHM-Erstauflage von 1812. Da der Autor seine Wiedergabe als eine von seiner Base mündlich gehörte »Historie« bezeichnete, glaubten die Grimms hier gleichsam einen frühen Vorläufer ihrer eigenen Sammeltätigkeit am Werk. Bezeichnenderweise konnte aber neben Jung-Stillings Text kaum eine andere Spur in der mündlichen Märchentradition ausgemacht werden. Es sind zwar volksmärchenhafte Ingredienzien gegeben (das Abenteuer am Schloss im Wald, die selbstverständlichen Wunder, das glückliche Ende usw.), indes spricht doch mehr für ein bewusst komponiertes Kunstmärchen aus der Zeit des Sturm und Drang (u. a. der Beginn mit der »interessanteren« Figur der Erzzauberin statt mit den Märchenhelden, die Stimmungsbeschreibungen, der Traum als Helfer zur Erlösung, der hinsichtlich der Zauberin »offene« Schluss). Als eines der wenigen Zeugnisse deutschsprachiger

Märchenveröffentlichungen vor Grimm verdient der Text besondere Aufmerksamkeit.

Die kunstvolle Erzählung Jung-Stillings wurde auch deswegen populär, weil sie seit 1825 in der Kleinen KHM-Ausgabe steht; sie bietet allerdings wenig Spielraum für dichterische Ausgestaltungen, die sich denn auch in der Regel auf kurzlebige Parodien beschränken. Immerhin wird sie häufig zitiert (z. B. in der 1887 entstandenen Novelle »Ein Bekenntnis« von Theodor Storm oder in dem 1892 erschienenen Roman *Gutmanns Reisen* von Wilhelm Raabe). Das Titelkupfer zu Jung-Stillings Roman zeigt indes schon 1777 eine Szene des Märchens (Daniel Chodowiecki?) und George Cruikshank illustrierte es für die erste englische KHM-Übersetzung 1823. Weitere bedeutende Illustratoren sind Heinrich Vogeler und Max Slevogt. Lotte Reiniger arbeitete nach 1920 an einem Scherenschnittfilm.

BP II, S. 69; EM VII, Sp. 632–635; Scherf, S. 634f.

14. Der alte Großvater und der Enkel (KHM 78)

Die Brüder Grimm entnahmen die Geschichte ohne wesentliche Veränderungen dem autobiographischen Roman des Pietisten Heinrich Jung-Stilling *Henrich Stillings Jünglings-Jahre* (1778). Sie repräsentiert seit der Antike überlieferte Parabeln vom Typus des undankbaren Sohnes (vgl. zur Thematik auch das 4. Gebot des Alten Testaments, die *Nikomachische Ethik* des Aristoteles und den altrömischen Begriff der »pietas«) und steht in dieser Auswahl als ein Beispiel für die in den KHM durchaus überwiegende Anzahl von Texten unmärchenhaften Charakters. Zwar finden sich einige märchenhafte Stilzüge, doch fehlen die entscheidenden Gattungsmerkmale: Die Märchenfiguren sind erwachsene alltäglich-bürgerlich agierende Leute (der Großvater ist zumindest in Deutschland eine sonst kaum im Märchen begegnende Gestalt), sie haben keine märchenhaften Aufgaben zu bewältigen, ziehen nicht in die Isolation und werden (unmärchenhaft) durch Einsicht belehrt. Die Requisiten wie Tisch, Essgeschirr und Ofen in der Ecke wirken realistisch, vor allem aber fehlt das ein Märchen konstituierende Wunder.

Die Belehrung der Protagonisten durch spiegelbildliches Verhalten (naive Analogie) ihres eigenen Kindes findet sich in dieser Ausprägung erstmals bei dem italienischen Franziskanermönch und Volksprediger Bernhardin von Siena (1380–1444) in lateinischer und ist seit 1579 in deutscher Sprache belegt, ehe der elsässische Satiriker Johann Michael Moscherosch 1643 daraus eine Ballade formte, die Jung-Stilling in seiner Straßburger Studentenzeit bekannt geworden sein dürfte (obwohl er als seine Quelle einen Augenzeugenbericht aus Hilchenbach im Siegerland angibt).

Die überaus langlebige und weit verbreitete Überlieferung dieser Moralerzählung erweist, dass das Verhältnis der Generationen untereinander zu allen Zeiten und an allen Orten ein Problem darstellte, sodass der ehrerbietige Umgang mit dem Alter immer erneut in Parabeln, Exempeln, Predigtmärlein usw. (aber eben nie in der Form des Märchens) angemahnt werden musste. Diese Thematik rückt die Geschichte auch in einen direkten Zusammenhang mit den zahlreichen KHM, in denen Dankbarkeit gegenüber alt und scheinbar unnütz gewordenen Haustieren gefordert wird (z. B. »Die Bremer Stadtmusikanten«).

Obwohl der Text zu den bekannteren der Grimmschen Sammlung gehört, lässt sich eine künstlerische Rezeptionsgeschichte kaum nachweisen; allerdings begegnet die Parabel häufig in Lesebüchern.

BP II, S. 135–140; EM VI, Sp. 252–256; L. Röhrich: Erzählungen des späten Mittelalters und ihr Weiterleben. 1. Bd. 1962, S. 92–112, 262–267; H. Rölleke: Das Exempel vom undankbaren Sohn in der Fassung Moscheroschs von 1643. In: Fabula 14 (1973), S. 237–242.

15. Der Arme und der Reiche (KHM 87)

Das Märchen kam den Brüdern Grimm nach 1812 durch Ferdinand Siebert zu. Sie stellten es an den Beginn des zweiten KHM-Bandes von 1815 und diese Position behielt es bis zur Ausgabe letzter Hand von 1857 bei. Wie den drei anderen, die beiden KHM-Bände jeweils eröffnenden und beschließenden Texten

(KHM 1, 86 und 200), so maßen die Grimms auch diesem hohes Alter und programmatische Bedeutung bei.

Was das Alter betrifft, so vermutete Jacob Grimm hier eine christlich eingefärbte Version des seit der Antike häufig belegten Zentralmotivs der »Erdenwanderung der Götter« (vgl. die Gestaltung des »Philemon und Baucis«-Stoffes in Ovids zwischen 1 v. Chr. und 19 n. Chr. entstandenem Sagenepos *Metamorphosen*, wo einzig ein altes, armes, aber barmherziges Ehepaar Göttervater Zeus aufnimmt und dafür drei Wünsche gewährt bekommt; vgl. auch KHM 135 »Die weiße und die schwarze Braut«). Programmatisch macht die Geschichte (als Version des weit verbreiteten Erzähltypus von den törichten Wünschen) deutlich, dass eine ausgleichende Gerechtigkeit dafür sorgt, dass der Arme zufrieden sein kann und dass es dem habgierigen Menschen nicht gut bekommt, wenn er noch mehr wünscht, als er ohnehin schon hat.

Vor Grimm sind aus der dichten Überlieferung zu nennen Hans Wilhelm Kirchhoffs (um 1525 – um 1603) Schwanksammlung *Wendunmuth* vom Ende des 16. Jahrhunderts (»Von einem geitzigen weib«) und Johann Peter Hebels populäre Kalendergeschichte »Drei Wünsche« (1808 nach Charles Perraults »Les souhaits ridicules« von 1697); nach Grimm wirkte vor allem Ludwig Bechsteins »Die drei Wünsche« (1856) weiter. Grimms und Bechsteins Fassungen sind dann häufig in Lesebüchern vertreten.

BP II, S. 210–229; EM IV, Sp. 155–164; Scherf, S. 32f.; L. Röhrich: Erzählungen des späten Mittelalters und ihr Weiterleben. 1. Bd. 1962, S. 62–79, 253–258; H. Rölleke: Johann Peter Hebel und das Märchen. In: C. Pietzcker u. G. Schnitzler (Hg.): J. P. Hebel, 1996, S. 213–238.

16. Die Gänsemagd (KHM 89)

Das Märchen kam den Brüdern Grimm durch Dorothea Viehmann zu; seine geradezu kunstvolle Form rückt es in die Nähe der von ihr ebenfalls beigetragenen Märchen »Der treue Johan-

nes« und »Der Teufel mit den drei goldenen Haaren«. Der zwei-
geteilten Handlung entsprechen der durch drei Frauen repräsen-
tierte Hof der Märchenheldin und der durch drei Männer in
genau parallelen Rangstufen vertretene Hof des Bräutigams. Die
Tatsachen, dass die alte Königin zaubern kann, dass die Prinzessin
mit einer Kammermagd zur Verheiratung mit einem ihr unbekannten Mann an einen entfernten Hof geschickt und dass dann
aber die Hochzeitsnacht mit der Kammermagd gefeiert wird,
entsprechen frappant der Handlungsstruktur der mittelalterlichen *Tristan*-Epen, die z. T. auf keltischer Sagentradition beru-
hen, sodass hier in älteste Zeiten hinaufreichende Verwandt-
schaften konstatiert werden könnten. Zum andern sind der
bindende und der Märchenheldin stets gegenwärtige Eid, die re-
lative Machtlosigkeit der Zaubergaben (die redenden Blutstropfen, das sprechende Pferd und die Fähigkeit, den Wind zu be-
schwören), die sog. »Ofenbeichte« sowie die durch den König –
in der Art christlicher Gottesvorstellungen – herbeigeführte Erlösung ziemlich moderne, durch ein monotheistisches Weltbild
geprägte Züge. »Das schöne Märchen stellt die Hoheit der selbst
in Knechts-Gestalt aufrecht stehenden königlichen Geburt mit
desto tiefern Zügen vor, je einfacher sie sind«, merkten die
Grimms an.

Heinrich Heine hat in seinem Versepos *Deutschland. Ein Win-
termärchen* (1844) ein Falada-Gedicht gestaltet wie später Bertolt Brecht (1919) und Karl Krolow (1974). Illustriert wurde das
Märchen schon 1823 von George Cruikshank und 1825 (anläss-
lich der Kleinen KHM-Ausgabe) von Ludwig Emil Grimm; mit
der sich kämmenden Gänsemagd schuf Heinrich Vogeler 1907
eines der charakteristischsten Jugendstilbilder.

BP II, S. 273–285; Scherf, S. 384–388.

Wort- und Sacherläuterungen

5. Hänsel und Grethel

Holzhacker: neben dem Besenbinder der typische Armeleute-   30.16
beruf im Märchen.

Mutter: Die »Mutter« mutierte erst in der fünften KHM-Auf-   31.4
lage zur Stiefmutter (vgl. dazu auch »Sneewittchen«). Im Geist
des idealisierten Mutterbildes der Biedermeierzeit (und wohl
auch auf Grund seiner eigenen überaus starken Mutterbindung)
wollte Wilhelm Grimm die Mütter der Märchenhelden nicht in
schlechtem Licht erscheinen lassen, obwohl er damit die Strin-
genz der Thematik (z. B. Ablösekonflikte zwischen Mutter und
Tochter) verunklärte und es den wirklichen Stiefmüttern, die
sich mit ihrer Rolle ohnehin traditionell schwer taten, nicht eben
leichter machte, indem die Kinder aus den Märchen lernten, dass
Stiefmütter immer böse und schlecht seien.

einen von den blanken ... den Weg geworfen: Im von Martin   31.30–31
Montanus (vor 1537 – nach 1566) im Jahr 1557 veröffentlichten »Erdkuolin«-Märchen werden »Annelin« und »Gretlin«(!)
dreimal von den Eltern ausgesetzt; sie streuen Sägemehl und Heu
als hilfreiche Wegmarkierung, dann indes Hanfsamen, den die
Vögel auffressen (vgl. hier 33,24–25). Im Übrigen stimmen der
Anfang des Grimmschen Märchens sowie die Motive der von
den Vögeln gefressenen Wegemarkierungen und des Schatzes im
Hexenhaus (auch) zu der seit 1790 in der vom Weimarer Buch-
händler Friedrich Just Bertuch (1747–1822) betreuten »Blauen
Bibliothek« (1790–1797) deutschsprachig verbreiteten Geschichte »Finette cendron« der Madame d'Aulnoy.

»der Wind ... himmlische Kind«: Die Formel ist ähnlich schon   34.9–10
im Mittelalter belegt: »do machte daz himelische kint,/ daz do
quam ein gut wint« (*Wiener Oswald*, Vers 1220f.).

Darnach fanden sie ... mehr zu sorgen: Die Rückkehr des/der   36.26–32
Märchenhelden ins Vaterhaus ist durchaus märchenuntypisch
und wohl ein sentimentaler Zusatz in der jüngeren Überlieferungsgeschichte.

6. Aschenputtel

38.6–7 **Haselreis:** Die Hasel spielt im Volksglauben eine bedeutende Rolle, u. a. als Beschützer junger Mädchen.

38.14 **alle Tage dreimal:** Hier wird deutlich, dass die »Drei« im Märchen nicht nur für diesen Zahlenwert steht, sondern auch für »alles« (d. h., sie ging, so oft es ihr möglich war, zum Grab).

38.28–30 **»da habe ich … sollst du mitgehen«:** Im antiken »Amor und Psyche«-Märchen, das der römische Schriftsteller Apuleius (um 125 – um 180) in seinen Roman *Der goldene Esel* integriert hatte, stellt Venus die »unlösbare« Aufgabe, zusammengeschüttete Körner auseinander zu lesen, was dann eine barmherzige Ameise für Psyche leistet. In der KHM-Erstauflage sollte Aschenputtel gute und schlechte Linsen sortieren (von daher versteht sich die Anrede an die Tauben besser).

39.13–15 **»wenn du mir … sollst du mitgehen«:** Das Motiv der einfalls- und (nach dem ersten Misserfolg) sinnlosen Verdoppelung der Aufgabe belegt, wie Märchenfiguren in der Regel Vergangenes nicht zu bedenken (zu behalten) vermögen bzw. wie wenig lernfähig sie sind. Märchengerechter wäre übrigens eine dreifache, sich steigernde Aufgabe gewesen, indem etwa die in die Asche geschütteten Hülsenfrüchte eine Klimax der Kleinheit und damit der Schwierigkeit bilden würden. Ähnliche unmärchenhafte Textverwischungen lassen sich bei den unplastisch vorgestellten Kleiderspenden (vgl. 41,4 und 31) beobachten: Silber – Gold – Edelstein oder wie der Mond, wie die Sonne, wie die Sterne wären gattungsadäquatere Reihungen, plastisch, dreigliedrig mit Achtergewicht.

40.17 **da wollte es nach Haus gehen:** Ob Aschenputtel nach Haus »wollte«, weil es sich dem Prinzen vorerst noch entziehen möchte, oder »musste«, weil es einem unerkennbaren Gesetz folgt, steht dahin.

42.3–5 **Doch verlor es … Treppe streichen lassen:** Der goldene Pantoffel auf dem schwarzen Pech der weißen Marmortreppe ergibt ein Bild typischer Märchenfarben.

42.7–8 **die sollte seine … goldene Schuh paßte:** Das Schuhmotiv spielt sowohl im Volksglauben (Brautschuh) als auch in der Psychoanalyse eine Rolle, die mit Erotik und Hochzeit zu tun hat.

Schon in der altägyptischen Erzählung vom »Schuh der Rhodopis« machte sich ein Prinz, dem ein Vogel einen Frauenschuh in den Schoß fallen gelassen hatte, auf die Suche nach dessen Besitzerin, um sie zu heiraten. Es ist ganz märchengerecht, dass der angeblich nur in die eine Frau Verliebte jede nehmen würde, wenn ihr nur der Schuh passt. So kann auch das Wiedererkennen lange getrennter Liebesleute im Märchen immer nur mit Hilfe dinglicher Erkennungszeichen gelingen.

Als die Brautleute ... ihr Lebtag gestraft: Auch die Stief- 44.3–10
schwestern lernen nichts aus ihrer doch wahrlich schmerzlichen und erst kurz zurückliegenden Erfahrung auf dem Hinweg zur Kirche; so verlieren sie auch das andere Auge – eine in der Wertwelt des Märchens gerechte Strafe, die durch die eigene »Dummheit« der Mädchen (vgl. auch das Ende von »Die drei Männlein im Walde«) und die Herstellung einer (wenn auch makabren; vgl. »Rumpelstilzchen«) Symmetrie gemildert erscheint.

9. Der Teufel mit den drei goldenen Haaren

Glückshaut: Diese Glückshaut trug man als Talisman bei sich 51.11
und glaubte dadurch immun z. B. gegen Kriegsverwundungen zu sein.

Der König legte ... die Schachtel hinein: Vgl. die Episode um das 51.27–29
Moseskörbchen im Alten Testament (2. Mose 1–6), in der der Pharao wie später im Neuen Testament Herodes den/dem männlichen Neugeborenen nach dem Leben trachtet; aber wie das Körbchen den Knaben Moses ausgerechnet zur Tochter des Pharaos trägt, so gelangt der Märchenheld schließlich auch zur Tochter des Königs.

Sie pflegten den Fündling ... dem Wasser gezogen.«: Zum He- 52.10–17
ranwachsen des Kindes und zum Zeitsprung in der Handlung vgl. Lk 2,42–46; vgl. auch die biblisch getönte Wendung »Es trug sich zu«.

Da schrieb der König ... ehe ich ankomme«: Das Motiv des 52.23–27
Uriasbriefs (vgl. Altes Testament 2. Sam 11, wo erzählt wird, wie ein Unschuldiger unwissend sein eigenes Todesurteil in einem versiegelten Briefumschlag bei sich trägt) begegnet – auch in

der hier vorliegenden Variante der vertauschten Briefe – vielfach in der Weltliteratur (u. a. in der Quelle zu William Shakespeares *Hamlet*).

53.7 **schlief ein:** Während der Junge sich hier schlafend seinem Schicksal überlässt, ist er später in der erkennbar genau parallel angelegten Szene in der Hölle (der sein Leben bedrohende Teufel, die barmherzige Ellermutter) hellwach.

54.25–34 **Da ging er ... Eingang zur Hölle:** Auch hier gelangt man übers Wasser ins Jenseits (vgl. »Frau Holle« und die antiken Vorstellungen von den Flüssen, die die Unterwelt Hades von der Erde scheiden); der Fährmann hat dieselbe Funktion wie der mythische Charon, der die Verstorbenen über den Unterweltsfluss Acheron zum Reich des Hades übersetzt.

55.3 **Haare:** Haare des Mannes gelten im Volksglauben als Sitz oder Zeichen der Weisheit (so hier) und der Kraft (so im Alten Testament Richter 13–16, wo Simson, nachdem ihm sein Haupthaar geschoren wurde, seine übermenschliche Stärke verliert).

55.18–26 **Als der Abend ... iß dein Abendbrot:** Die humorvolle Schilderung der Heimkehr des Teufels verleiht der an sich bedrohlichen Szene einen durchaus gutbürgerlichen Charakter.

55.28 **lausen:** Das Lausen galt als Liebesbeweis.

58.10–12 **an das jenseitige ... und sprang davon:** Mythologisch stimmig bleibt die Charonsgestalt am »jenseitigen Ufer«.

10. Dornröschen

58.20–22 **einmal im Bade ... ans Land kroch:** Bei Perrault besucht das Königspaar wegen seiner Kinderlosigkeit Bäder – in der deutschen Tradition ist das Motiv verbürgerlicht und vermittelt eher die Vorstellung einer Badestube. Dabei ist nicht leicht erklärlich, wie hier das sprechende Tier (das bei Perrault fehlt, während es in die ersten beiden KHM-Auflagen noch als Krebs aus anderer französischer Überlieferung eingewandert war) »ans Land kroch«.

58.29–59.2 **Es waren ihrer ... eine nicht einladen:** Bei Perrault lud der König nur sieben der acht Feen seines Reiches ein, was in der deutschen Tradition durch die »Unglückszahl« ersetzt wurde (die man da-

her bei Ursprungshypothesen zu diesem Märchen nicht über-
bewerten darf). Dass der König nur zwölf goldene Gedecke hat,
entspricht der Geschirrzahl der bürgerlichen Aussteuer.

abgeschafft: Ab der 6. KHM-Auflage von 1850 heißt es in An- 59.18
lehnung an Ludwig Uhlands Dornröschen-Gedicht von 1811
(›Märchen‹), dass die Spindeln »verbrannt« wurden.

Es geschah . . . im Schloß zurückblieb: Dass die Eltern, die fünf- 59.22–25
zehn Jahre hindurch angstvoll diesen Tag erwartet hatten, »nicht
zu Hause waren«, ist abermals ein Beleg für das fehlende Erin-
nerungsvermögen der Märchenfiguren.

Und der König . . . still und schlief: Diese ganze Einschlafszene 60.4–13
(vgl. auch die entsprechende Erwachensszene 61,23–32) hat
Wilhelm Grimm aus der lapidaren Bemerkung entwickelt: »so
fing alles alles im Schloß an zu schlafen bis auf die Fliegen an den
Wänden« – auch um hernach die Aufmerksamkeit von dem Liebespaar auf die Hofgesellschaft ablenken zu können (im Be-
wusstsein, mit wie vielen erotischen Anspielungen gerade Perrault diese Szene ausgestattet hatte).

Dornröschen: Der sprechende Name begegnet zuerst um 1790 60.19
als Titel einer deutschen Übersetzung eines (allerdings anderen)
französischen Märchens.

11. Sneewittchen

wie Federn: Die an »Frau Holle« erinnernde Metapher findet 62.4
sich erst 1812, noch nicht in der handschriftlichen Fassung.

»hätt ich ein Kind . . . wie der Rahmen«: Die sprichwörtlich 62.10–11
gewordene Formel erinnerte Jacob Grimm an eine Szene im *Par-*
zival des Wolfram von Eschenbach (um 1210); er gestaltete die
ursprüngliche Fassung »weiß wie Schnee und rot wie Blut« zu
einer Trias aus, indem er er – etwas ungeschickt und realistisch
nicht gut vorstellbar – nachträglich den schwarzen Fensterrah-
men einbrachte. Bei Basile entwickelt sich die Formel stimmiger:
Ein geschossener Rabe verendet vor den Augen der Königin auf
der weißen Marmortreppe, die vom roten Blut des schwarzen
Vogels gefärbt wird.

Sneewittchen: Die angeblich plattdeutsche Namensform der 62.14

Märchenheldin wurde von den Grimms konstruiert, um die von ihnen postulierte Verwandtschaft mit einer altnordischen Nekrophiliegeschichte um »Snäfridr« zu dokumentieren: Die Gattin des norwegischen Königs Harald (um 850–933) stirbt »und ihr Antlitz veränderte sich nicht im geringsten und sie war noch ebenso rot, als da sie lebendig war. Der König saß bei der Leiche [...] drei Jahre« (Anm. der Brüder Grimm).

62.22–23 **»Spieglein, Spieglein ... im ganzen Land?«**: Die schon in ähnlicher Form bei Musäus vorhandenen Verse zeigen wiederum die Nahtstelle zwischen realer und numinoser Welt an.

63.4–5 **gelb und grün vor Neid**: Die sprechenden Farbadjektive hat Wilhelm Grimm erst 1837 nach dem Vorbild der mittelhochdeutschen *Freidank*-Dichtung in den Text gebracht. Freidank, der Anfang des 13. Jahrhunderts lebte, gilt als der Verfasser einer Sammlung von meist zwei- bis vierzeiligen Reimpaarsprüchen, die Lebensweisheiten, Sprichwörter und Exempel zu religiösen, ethisch-moralischen und praktischen Lebensbereichen enthalten.

63.15–17 **»ach lieber Jäger ... wieder heim kommen«**: Die Bitte Sneewittchens ist an einen auch sonst in den KHM, den »Deutschen Sagen« und als Kinderabzählvers begegnenden Spruch angelehnt (»Lieber Jäger, lass mich leben ...«) und wurde erst 1837 interpoliert.

63.25–27 **Der Koch mußte ... und Leber gegessen**: Der Kannibalismus erweist die Königin als eine der Hexe in »Hänsel und Grethel« oder dem »Rumpelstilzchen« verwandte Figur.

68.34 **lachte überlaut**: Überlautes Lachen ist in den KHM fast ausschießlich den dämonischen Gestalten vorbehalten: Die Kunst, den Spiegel zu besprechen, der Kannibalismus, die Fähigkeit zur Giftbereitung und zur totalen Verstellung, aber auch die Form der Strafe weisen insgesamt auf den entsprechenden Charakter der Stiefmutter hin.

69.20 **durchsichtigen Sarg von Glas**: Das Motiv des mit einem Glas versehenen Sarges begegnet auch in Johann Wolfgang Goethes *Wahlverwandtschaften* (1809) und in Gottfried Kellers *Der grüne Heinrich* (1854/55 bzw. 1879/80) (vgl. auch KHM 163 »Der gläserne Sarg«).

12. Rumpelstilzchen

Müller: Der Stand des Müllers gehörte lange zu den sog. verfem- 71.6
ten Berufen; die Volksliteratur zeichnet ihn häufig als Betrüger
oder als Komplizen von Verbrechern aller Art, die sich die Lage
der Mühlen außerhalb der Stadtbefestigungen zunutze machten.
Der Märcheneingang spiegelt dieses historische (Vor-)Urteil er-
staunlich präzise.

»ich habe eine Tochter . . . zu Gold spinnen«: In anderen Versio- 71.8-9
nen straft der Vater seine Tochter wegen dieser Kunst, wodurch
sich ein noch stimmigerer Nexus ergibt: Der Vater pervertiert
zum Verfolger seiner Tochter, der König wandelt sich vom Er-
retter dieser Tochter vor ihrem Vater zu ihrem Bedroher, Rumpelstilzchen tritt zunächst als Lebensretter, dann als lebensge-
fährlicher Schädiger auf. Das Motiv »Gold aus Stroh« ist durch
die Farbähnlichkeit, aber auch durch den typisch märchenhaften, extremen Wertunterschied charakterisiert und entspricht
insgesamt dem jahrhundertelang gehegten Alchimistentraum
vom Goldmachen.

sie blieb allein darin: Auch diese Märchenheldin gerät in die 71.16
strengste Isolation, wo ihr sodann das Wunder begegnet.

Da saß nun . . . zu weinen anfing: Die Müllerstochter sendet die 71.17-20
märchentypischen »Signale« eines Hilflosen (oder Verirrten) aus
(vgl. auch 72,8; intentional müsste Ähnliches auch 72,21 stehen): Sie setzt sich und weint – Gesten, die im europäischen
Volksmärchen immer jemanden herbeirufen, von dem der Märchenheld zunächst nicht weiß, wer er ist und was er will; jedenfalls geht es irgendwie weiter (man kann das mit dem Appell
eines Säuglings an den Brutpflegeinstinkt vergleichen).

»Ach«, antwortete . . . verstehe das nicht.«: Die Märchenheldin 71.23-24
nimmt die wunderbare Erscheinung des Männleins und dessen
dreimalige Wundertaten märchengerecht ohne jedes Erstaunen
hin.

aber sein Herz . . . Leben lieb wäre: Vgl. auch 71,15 und 72,19- 72.4-7
21. Der König erweist sich als noch bösartiger als der Müller;
indes werden beide im Märchen belohnt. Die häufig vertretene
Meinung, im (Grimmschen) Märchen werde immer der Gute
belohnt und der Böse bestraft, erweist sich auch hier als unzu-
treffend.

72.25–26 »**So versprich mir . . . dein erstes Kind.**«: Erst beim dritten Mal (Dreigliedrigkeit mit Achtergewicht als typische Märchenstruktur) kommt das Männlein mit dem eigentlichen Ziel seiner Wünsche und Bemühungen heraus: Die Annahme der ersten beiden gewiss wertlosen Gaben der »armen« Müllerstochter war nur eine Finte, um das Mädchen in Sicherheit zu wiegen.

72.28 **und versprach . . . was es verlangte:** Die Erzähleingänge der beiden Teile des Märchens sind durch dasselbe Motiv bestimmt: Ein Elternteil liefert aus Eigennutz sein Kind dem scheinbar sicheren Tod aus.

72.34 **dachte gar nicht mehr:** Hier wird das typische Vergessen der Märchenfigur sogar einmal ausgesprochen.

73.6 **Mitleiden:** Das Motiv des »Mitleids« findet sich erst ab der zweiten KHM-Auflage von 1819; es will absolut nicht zu den Absichten und schon gar nicht zum Charakter des Männleins passen, vielmehr scheint sich in der neuen Auseinandersetzung ein dämonistisches Gesetz anzudeuten, nach dem der Dämon (oder der Teufel) dem Menschen noch einmal eine Chance geben muss, wenn er ihn beim ersten (unberufenen!) Aufeinandertreffen über seinen Charakter und seine Ziele getäuscht oder im Unklaren gelassen hatte.

73.13 **Caspar, Melchior, Balzer:** Da der kirchliche Heiligenkalender geraume Zeit mit dem Fest Epiphanias am 6. Januar begann, stehen die Namen der Heiligen Drei Könige zugleich für sämtliche christliche Namen.

73.29 **Rumpelstilzchen:** Der in der vielfachen deutschsprachigen Tradition ständig wechselnde Name des Dämons ist hier von den Brüdern Grimm nach einer Kinderspielbezeichnung im moralsatirischen Roman *Geschichtklitterung* (Fassung von 1582) von Johann Fischart (1546–1590) gewählt worden; in der handschriftlichen Urfassung hieß er »Rumpenstünzchen«.

73.32–33 »**heißest du Cunz? . . . Heißest du Heinz?**«: Mit dem zweimaligen bewussten Fehlraten (»Hinz und Kunz«, Heinrich und Konrad, die nach den Kaisernamen häufigst gewählten Allerweltsnamen) ergibt sich nicht nur die märchengerechte Dreierstruktur (am dritten Ratetag!), sondern auch gleichsam eine subtile Ironie: Wie Rumpelstilzchen im ersten Teil mit seiner ihm sicheren Beute spielte, so spielt sie nun im Gefühl ihrer Überlegenheit mit dem Besiegten.

und riß sich selbst mitten entzwei: Die groteske Selbstzerstörung 74.4
des Dämons bei der Konfrontation mit seinem eigenen Namen
entspricht uralten und weitestverbreiteten Vorstellungen vom
Namenszauber: Wer den Namen des Gegners kennt, hat Macht
über ihn. Belege reichen von der Polyphem-Episode in Homers
Odyssee über das Alte Testament (2. Gebot) bis hin zu einem in
althochdeutscher Sprache überlieferten Zauberspruch zur Dä-
monenabwehr, der *Zürcher Hausbesegnung* aus dem 10. Jahrhundert, und der mittelalterlichen *Lohengrin*-Sage.

13. Jorinde und Joringel

Katze: In Jung-Stillings Roman verwandelt sie sich auch in einen 74.9
Hasen – in der Beurteilung der »dämonischen« Qualitäten dieses Tieres war inzwischen ein Wandel eingetreten.

Sie hatte wohl . . . Vögeln im Schlosse: Die leise Ironie der Aus- 74.19–20
sage ist nicht volksmärchenhaft.

Jorinde . . . Joringel: Das Liebespaar ist schon durch den Gleich- 74.21–23
klang seiner Namen als füreinander bestimmt gekennzeichnet.
Solch individuelle Namen begegnen im Volksmärchen nicht.

die Turteltaube sang kläglich: Das Klagen der Turteltaube ist in 74.30–31
der Weltliteratur ein Topos für den (drohenden) Verlust des/der
Geliebten.

»mein Vöglein . . . zicküth«: Die Verse sind nicht wie mär- 75.9–12
chenüblich magische Formeln, sondern ein Stimmungslied, dessen Schluss Gustav Mahler (1860–1911) in die »Lieder eines
fahrenden Gesellen« (1883–1885) übernommen hat.

in einen Strauch . . . aus diesem hervor: Jung-Stilling bietet hier 75.19–20
eine Theaterverwandlung »hinter der Kulisse« des Strauchs, die
sonst nicht im Märchen begegnet.

endlich träumte er . . . dadurch wieder bekommen: Diese Pas- 75.34–76.4
sage dürfte Novalis (1772–1801) angeregt haben, seinem Ro-
manhelden Heinrich von Ofterdingen den berühmten Traum
von der Blauen Blume zuzuschreiben, die zum Symbol der Ro-
mantik wurde.

neunten: Auch die Steigerung des märchenhaften numerus per- 76.6
fectus »drei« zur ersten Potenz (»neun«) dürfte der kunstmär-

chenhaften Ausgestaltung durch Jung-Stilling zuzuschreiben sein.

15. Der Arme und der Reiche

78.28–30 **»Es ist schon . . . nicht weiter kommen.«:** Die Einladung erinnert an die Emmaus-Szene im Neuen Testament (Lk 24,29), in der die Jünger einen fremden Wanderer, den sie erst nachträglich als den wieder auferstandenen Christus (!) erkennen, bitten, bei ihnen einzukehren: »Bleib bei uns; denn es will Abend werden, und der Tag hat sich geneigt.«

79.1 **Kartoffeln:** Kartoffeln galten Ende des 18. Jahrhunderts als typische Armeleutemahlzeit.

79.25–28 **»was soll ich . . . nichts zu wünschen«:** Der erste Wunsch des frommen Armen ist in einem Märchen ein stumpfes Motiv, da Märchenhelden nicht sterben und keinen Unterschied von Diesseits und Jenseits kennen – dagegen ist die dritte Gabe, die Gott vorschlägt, märchengerecht.

81.22–27 **Da kam ihm . . . dem Rücken schleppe«:** Der zweite Wunsch scheint etwas umständlich und ungeschickt motiviert. In anderen, schwankhaften Fassungen wünscht sich die Frau eine Wurst (oder kostbare Kleidung), die ihr der verärgerte Mann dann spontan an die Nase (oder in den Magen) wünscht.

16. Die Gänsemagd

82.26 **Falada:** Die Grimms haben »Falada« an die mittelalterlichen Pferdenamen wie »Volatin« oder an »Folle« (Fohlen) anlehnen wollen.

82.30–83.1 **drei Tropfen Blut:** In diesen Blutstropfen ist die Person selbst auf magische Weise gegenwärtig.

83.13–18 **Da stieg die Königstochter . . . tät ihr zerspringen«:** Nach mittelalterlichem Verständnis verstößt die Prinzessin damit schwer gegen die Standesnorm, was sie später zu büßen hat. Überdies hat es für sie üble Folgen, dass sie ihren Dursttrieb nicht zu zügeln vermag (vgl. auch KHM 11 »Brüderchen und Schwesterchen«).

Gänse hüten: Gänsehüten ist der unterste Dienst am Königshof. 84.31

dem Falada seinen Kopf hinnageln: Die Grimms erinnern an die 85.11
alte Sitte, Pferdeköpfe (als magischen Schutz) an Häusergiebeln
anzubringen.

»o du Jungfer ... tät ihr zerspringen«: Hier wie im Folgenden 85.19–21
mahnt Falada die »Gänsemagd«, nicht ihre Mutter und damit
ihren eigenen königlichen Stand zu vergessen.

und machte ihre ... waren eitel Gold: Das goldene Haar zeigt 85.24–25
königliche Abkunft an: Diese achtet die Prinzessin nun, indem
sie sie pflegt. Das steht ebenso im Gegensatz zu den Begeben-
heiten auf der Reise wie die Tatsache, dass sie hier ihren (und
Kürdchens) Trieb zu zügeln vermag, denn Haare der Frau stehen
im Märchen auch für erotische Anziehungskraft.

»so darfst dus ... dem Kachelofen erzählen«: Die »Ofenbeichte« 87.28–29
ist ein altüberliefertes volksliterarisches Motiv, das auch in Kin-
derspielen begegnet. Feuer und Ofen sind Symbole des schutz-
bietenden Asyls, aber auch der Läuterung. Das Weinen, das »Be-
kennen« der Prinzessin im Ofen und die Verheißung der »Be-
gnadigung« durch den alten König sind den Bestandteilen des
Beichtsakraments zu vergleichen.

Da sprach ... zu Tode schleifen«: Wieder verkennt die ihr ei- 88.15–20
genes Urteil sprechende Märchenfigur die Situation (vgl. KHM
13), weil sie alle vorangegangenen Episoden vergessen hat.

Suhrkamp BasisBibliothek
Text und Kommentar in einem Band

»Die Suhrkamp BasisBibliothek hat sich längst einen Namen gemacht. Als ›Arbeitstexte für Schule und Studium‹ präsentiert der Suhrkamp Verlag diese Zusammenarbeit mit dem Schulbuchverlag Cornelsen. Doch nicht nur prüfungsgepeinigte Proseminaristen treibt es in die Arme der vielschichtig angelegten Didaktik, mit der diese unprätentiösen Bändchen aufwarten. Auch Lehrer und Liebhaber vertrauen sich gerne den jeweiligen Kommentatoren an, zumal die Bände mit erschöpfenden Hintergrundinformationen, Zeittafeln, Entstehungsgeschichten, Rezeptionsgeschichten, Erklärungsmodellen, Interpretationsskizzen, Wort- und Sacherläuterungen und Literaturhinweisen gespickt sind.«
Frankfurter Allgemeine Zeitung

Ingeborg Bachmann. Malina. Kommentar: Monika Albrecht und Dirk Göttsche. SBB 56. 389 Seiten

Jurek Becker. Jakob der Lügner. Kommentar: Thomas Kraft. SBB 15. 351 Seiten

Thomas Bernhard
- Amras. Kommentar: Bernhard Judex. SBB 70. 144 Seiten
- Erzählungen. Kommentar: Hans Höller. SBB 23. 171 Seiten
- Heldenplatz. Kommentar: Martin Huber. SBB 124. 205 Seiten

Marcel Beyer. Flughunde. Kommentar: Christian Klein. SBB 125. 347 Seiten

Bertolt Brecht
- Der Aufstieg des Arturo Ui. Kommentar: Annabelle Köhler. SBB 55. 182 Seiten

- Die Dreigroschenoper. Kommentar: Joachim Lucchesi.
  SBB 48. 170 Seiten
- Kalendergeschichten. Kommentar: Denise Kratzmeier.
  SBB 131. 196 Seiten
- Der gute Mensch von Sezuan. Kommentar: Wolfgang Jeske.
  SBB 25. 214 Seiten
- Der kaukasische Kreidekreis. Kommentar: Ana Kugli.
  SBB 42. 189 Seiten
- Leben des Galilei. Kommentar: Dieter Wöhrle. SBB 1. 191 Seiten
- Mutter Courage und ihre Kinder. Kommentar: Wolfgang
  Jeske. SBB 11. 185 Seiten

Georg Büchner
- Danton's Tod. Kommentar: Joachim Hagner. SBB 89. 200 Seiten
- Lenz. Kommentar: Burghard Dedner. SBB 4. 155 Seiten

Paul Celan. »Todesfuge« und andere Gedichte. Kommentar:
Barbara Wiedemann. SBB 59. 186 Seiten

Annette von Droste-Hülshoff. Die Judenbuche. Kommentar: Christian Begemann. SBB 14. 136 Seiten

Joseph von Eichendorff. Aus dem Leben eines Taugenichts.
Kommentar: Peter Höfle. SBB 82. 180 Seiten

Theodor Fontane
- Effi Briest. Kommentar: Dieter Wöhrle. SBB 47. 414 Seiten
- Irrungen, Wirrungen. Kommentar: Helmut Nobis.
  SBB 81. 258 Seiten

Max Frisch
- Andorra. Kommentar: Peter Michalzik. SBB 8. 166 Seiten
- Biedermann und die Brandstifter. Kommentar: Heribert
  Kuhn. SBB 24. 142 Seiten
- Homo faber. Kommentar: Walter Schmitz. SBB 3. 301 Seiten

Johann Wolfgang Goethe

- Egmont. Kommentar: Helmut Nobis. SBB 127. 184 Seiten
- Faust I. Kommentar: Ralf-Henning Steinmetz. SBB 107.
  298 Seiten
- Götz von Berlichingen. Kommentar: Wilhelm Große.
  SBB 27. 243 Seiten
- Die Leiden des jungen Werthers. Kommentar: Wilhelm
  Große. SBB 5. 222 Seiten
- Wilhelm Meisters Lehrjahre. Kommentar: Joachim Hagner.
  SBB 85. 700 Seiten

Grimms Märchen. Kommentar: Heinz Rölleke. SBB 6. 136 Seiten

Peter Handke. Wunschloses Unglück. Kommentar: Hans
Höller. SBB 38. 131 Seiten

Friedrich Hebbel. Maria Magdalena. Kommentar: Florian
Radvan. SBB 74. 150 Seiten

Christoph Hein. Der fremde Freund. Drachenblut.
Kommentar: Michael Masanetz. SBB 69. 236 Seiten

Hermann Hesse

- Demian. Kommentar: Heribert Kuhn. SBB 16. 233 Seiten
- Narziß und Goldmund. Kommentar: Heribert Kuhn.
  SBB 40. 407 Seiten
- Siddhartha. Kommentar: Heribert Kuhn. SBB 2. 192 Seiten
- Der Steppenwolf. Kommentar: Heribert Kuhn. SBB 12. 306 Seiten
- Unterm Rad. Kommentar: Heribert Kuhn. SBB 34. 275 Seiten

E. T. A. Hoffmann

- Das Fräulein von Scuderi. Kommentar: Barbara von Korff-
  Schmising. SBB 22. 149 Seiten

- Die Räuber. Kommentar: Wilhelm Große. SBB 67. 272 Seiten
- Wilhelm Tell. Kommentar: Wilhelm Große. SBB 30. 196 Seiten

Arthur Schnitzler
- Lieutenant Gustl. Kommentar: Ursula Renner-Henke. SBB 33. 162 Seiten
- Traumnovelle. Kommentar: Andrea Neuhaus. SBB 113. 139 Seiten

Shakespeare. Romeo und Julia. Kommentar: Werner Frizen und Detlef Klein. SBB 115. 232 Seiten

Theodor Storm. Der Schimmelreiter. Kommentar: Heribert Kuhn. SBB 9. 199 Seiten

Martin Walser. Ein fliehendes Pferd. Kommentar: Helmuth Kiesel. SBB 35. 164 Seiten

Frank Wedekind. Frühlings Erwachen. Kommentar: Hansgeorg Schmidt-Bergmann. SBB 21. 148 Seiten

Peter Weiss
- Abschied von den Eltern. Kommentar: Axel Schmolke. SBB 77. 192 Seiten
- Die Ermittlung. Kommentar: Marita Meyer. SBB 65. 304 Seiten
- Die Verfolgung und Ermordung Jean Paul Marats. Kommentar: Arnd Beise. SBB 49. 180 Seiten

Christa Wolf
- Der geteilte Himmel. Kommentar: Sonja Hilzinger. SBB 87. 320 Seiten
- Kein Ort. Nirgends. Kommentar: Sonja Hilzinger. SBB 75. 158 Seiten
- Medea. Kommentar: Sonja Hilzinger. SBB 110. 255 Seiten